일빵빵 ONE DAY ONE SHOT 시리즈

원데이원샷 영중일 만년 다이어리 기초회화 편

함께,

~~영어 중국어 일본어 기초회화를~~ 한 번에 공부할 수 있습니다.

외국어 발음을 한글로 표기하여 누구나 쉽게 따라 읽을 수 있고,

QR코드를 통해 3개 국어 원어민 발음까지 들을 수 있습니다!

한 가지 더!

만년 달력 기능으로 실용성까지 갖춘

만능 탁상용 캘린더입니다.

'일빵빵' 유튜브 채널에서,

하루에 한 문장씩 배우는

'원데이원샷' 회화 영상도 만나보세요~

ONE DAY ONE SHOT

영중일 만년 다이어리 기초회화편

2019년 11월 15일 초판 1쇄 발행

지 은 이 | 일빵빵 어학연구소
펴 낸 이 | 서장혁
기획편집 | 김연중, 김효준, 이경은
디 자 인 | 조은영
마 케 팅 | 한승훈, 안영림, 최은성
펴 낸 곳 | 토마토출판사
주　　　소 | 경기도 파주시 회동길 216 2층
T E L | 1544-5383
홈페이지 | www.tomato4u.com
E-mail | support@tomato4u.com
등　　　록 | 2012. 1. 11.
I S B N | 979-11-90278-08-9(14700)

Let's
일빵빵

더욱 다양한 외국어 공부 콘텐츠를 원하시면,
구글플레이/앱스토어에서 '렛츠일빵빵' 어플을 다운 받으시고,
유튜브에서 '일빵빵'을 검색&구독해주세요!

JAN
1

안녕하세요.(아침)

🇺🇸 **Good morning!**

morning 아침

🇨🇳 **早上好。**

zǎoshanghǎo.

쟈오 샹r 하오

🇯🇵 **おはようございます。**

오하요 - 고자이마스

안녕하세요. (낮)

🇺🇸 **Good afternoon!**

afternoon 오후

🇨🇳 **中午好。**

zhōngwǔhǎo.

쭝r 우 하오

🇯🇵 **こんにちは。**

콘니치와

DEC 31

어지러워요.

🇺🇸 **I feel dizzy.**

dizzy 어지러운

🇨🇳 **头晕。**

tóuyūn.

토우 윈

🇯🇵 **眩暈が します。**
めまい

메마이가 시마스

안녕하세요. (저녁)

🇺🇸 **Good night!**

night 밤

🇨🇳 **晚上好。**

wǎnshanghǎo.

완 상r 하오

🇯🇵 **こんばんは。**

콤방와

DEC
30

배가 아파요.

....

🇺🇸 **I have a stomachache.**

stomachache 배아픈

🇨🇳 **肚子疼。**

dùziténg.

뚜 즈 텅

🇯🇵 **お腹が 痛いです。**
なか　　いた

오나카가 이타이데스

JAN 4

잘 지내시죠?

····································

🇺🇸 **How are you?**
= How are you doing?

🇨🇳 **您过的好吧？**
nínguòdehǎoba?
닌 꾸어 더 하오 바

🇯🇵 **お元気ですか？**
げんき
오겡키데스카

DEC 29

코가 막혔어요.

🇺🇸 **I have a stuffy nose.**

stuffy 막힌

🇨🇳 **鼻子堵了。**

bízidǔle.

비 즈 두 러

🇯🇵 **鼻が 詰まっています。**
はな　　つ

하나가 츠맛테이마스

JAN 5

오랜만입니다.

🇺🇸 **Long time no see.**

long 긴, time 시간

🇨🇳 **好久不见。**

hǎojiǔbújiàn.

하오 지어우 부 찌엔

🇯🇵 **お久しぶりです。**

오히사시부리데스

DEC
28

두드러기가 났어요.

🇺🇸 **I have a rash.**

rash 두드러기

🇨🇳 **起皮疹了。**

qǐpízhěnle.

치 피 전r 러

🇯🇵 **蕁麻疹が 出ています。**
じんましん が で

짐마싱가 데테이마스

JAN
6

어떻게 지냈어요?

🇺🇸 **How have you been?**

= What have you been up to?

🇨🇳 **过的怎么样?**

guòdezěnmeyàng?

꾸어 더 전머 양

🇯🇵 **どう過ごしましたか？**

도 - 스고시마시타카

DEC 27

열이 있어요.

🇺🇸 **I have a fever.**

fever 열

🇨🇳 **发烧了。**

fāshāole.

f아 샤r오 러

🇯🇵 **熱が あります。**

ねつ

네츠가 아리마스

JAN
7

안녕히 계세요.

🇺🇸 **Goodbye!**

= Bye-bye!

🇨🇳 **再见。**

zàijiàn.

짜이 찌엔

🇯🇵 **さようなら。**

사요 - 나라

**DEC
26**

콧물이 계속 나요.

🇺🇸 I have a runny nose.

runny 콧물이 흐르는, 물기가 많은

🇨🇳 一直流鼻涕。

yìzhíliúbítì.

이 즐r 리우 비 티

はなみず
🇯🇵 鼻水が 止まりません。

하나미즈가 토마리마셍

JAN
8

감사합니다.

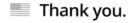

🇺🇸 **Thank you.**

= Thanks.

🇨🇳 **谢谢。**

xièxie.

씨에 시에

🇯🇵 **ありがとうございます。**

아리가토 - 고자이마스

DEC
25

멍이 들었어요.

🇺🇸 **I've got a bruise.**

bruise 멍

🇨🇳 **淤血了。**

yūxiěle.

위 시에 러

🇯🇵 **痣が できました。**
あざ

아자가 데키마시타

천만에요.

🇺🇸 **You are welcome.**

= My pleasure.

🇨🇳 **不客气。**

búkèqi.

부 크어 치

🇯🇵 **どういたしまして。**

도 - 이타시마시테

DEC
24

목이 아파요.

··

🇺🇸 **I have a sore throat.**

sore 아픈, throat 목, 인후

🇨🇳 **嗓子疼。**

sǎngziténg.

샹 즈 텅

の ど　　　　いた
🇯🇵 **喉が 痛いです。**

노도가 이타이데스

JAN
10

미안합니다.

🇺🇸 **I'm sorry.**

= I apologize.

🇨🇳 **对不起。**

duìbúqǐ.

뚜에이 부 치

🇯🇵 **ごめんなさい。**

고멘나사이

DEC
23

쥐가 났어요.

🇺🇸 **I've got cramps in my leg.**

cramp 경련, 쥐

🇨🇳 **抽筋了。**

chōujīnle.

쵸r우 찐 러

🇯🇵 **つってしまいました。**

춧테시마이마시타

**JAN
11**

괜찮습니다.

🇺🇸 **That's okay.**

= No worries!

🇨🇳 **没关系。**

méiguānxi.

메이 꾸안 시

🇯🇵 だいじょう ぶ
大丈夫です。

다이죠 - 부데스

**DEC
22**

모기에 물렸어요.

🇺🇸 **I got a mosquito bite.**

mosquito 모기, bite 물다

🇨🇳 **被蚊子叮了。**

bèiwénzidīngle.

뻬이 원 즈 띵 러

🇯🇵 **蚊に 刺されました。**

카니 사사레마시타

JAN 12

수고하세요.

🇺🇸 **Take care!**

care 돌봄, 조심, 염려

🇨🇳 **辛苦辛苦。**
xīnkǔxīnkǔ.
씬 쿠 씬 쿠

🇯🇵 **お疲れ様です。**
つか　　 さま
오츠카레사마데스

DEC
21

발을 삐었어요.

I twisted my ankle.

twist 휘다, 삐다, ankle 발목

我的脚扭伤了。

wǒdejiǎoniǔshāngle.

워 더 찌아오 니우 샹r 러

足を 捻ってしまいました。
あし ひね

아시오 히넷테시마이마시타

JAN
13

축하합니다.

 Congratulations!

= Congrats!

🇨🇳 **恭喜恭喜。**

gōngxǐgōngxǐ.

꽁 시 꽁 시

● **おめでとうございます。**

오메데토 - 고자이마스

DEC
20

부었어요.

🇺🇸 **It is swollen.**

swollen 부어오른

🇨🇳 **肿了。**

zhǒngle.

쭝r 러

🇯🇵 **腫れています。**
は

하레테이마스

JAN
14

실례합니다.

. . . .

Excuse me.

= Pardon me.

麻烦您了。

máfannínle.

마 f안 닌 러

しつれい
失礼します。

시츠레 - 시마스

넘어졌어요.

🇺🇸 **I fell down.**

fall down 쓰러지다, 떨어지다

🇨🇳 **我摔倒了。**

wǒshuāidàole.

워 슈r아이 따오 러

こ ろ
🇯🇵 **転びました。**

코로비마시타

JAN
15

수고하셨습니다.

....

🇺🇸 **Good job.**

= Thank you for your effort.

🇨🇳 **辛苦了。**

xīnkǔle.

씬 쿠 러

🇯🇵 **お疲れ様でした。**

오츠카레사마데시타

DEC 18

가려워요.

🇺🇸 **I feel itchy.**

itchy 가려운

🇨🇳 **很痒。**

hěnyǎng.

헌 양

かゆ
🇯🇵 **痒いです。**

카유이데스

JAN
16

신세 많이 졌습니다.

🇺🇸 **I owe you so much.**

owe 빚지다, 신세지다

🇨🇳 **叨光了。**

tāoguāngle.

타오 꾸앙 러

🇯🇵 **お世話に なりました。**
せ わ

오세와니 나리마시타

DEC
17

토할 것 같아요.

🇺🇸 **I feel like throwing up.**

throw up 토하다

🇨🇳 **好像要吐。**

hǎoxiàngyàotǔ.

하오 씨앙 야오 투

🇯🇵 **吐^はきそうです。**

하키소 - 데스

번거롭게 해서 죄송합니다.

🇺🇸 **Sorry to bother you.**

bother 신경 쓰다, 신경 쓰이게 하다

🇨🇳 **对不起给您添麻烦。**

duìbúqǐgěiníntiānmáfan.

뚜에이 부 치 게이 닌 티엔 마 f안

🇯🇵 **お手数を お掛けして、申し訳ございません。**

오테스 - 오 오카케시테, 모 - 시와케고자이마셍

DEC
16

설사를 해요.

🇺🇸 **I have diarrhea.**

diarrhea 설사

🇨🇳 **拉肚子啦。**

lādùzila.

라 뚜 즈 라

🇯🇵 **下痢を します。**
   げ り

게리오 시마스

**JAN
18**

기다리게 해서
죄송합니다.

Sorry to keep you waiting.

keep + doing 계속 ~하다

对不起让您久等。

duìbúqǐràngnínjiǔděng.

뚜에이 부 치 랑r 닌 지어우 덩

お待たせしてしまい、申し訳ございません。

오마타세시테시마이, 모 - 시와케고자이마셍

치통이 있어요.

I have a toothache.

toothache 치통

牙疼。

yáténg.

야 텅

歯が 痛いです。
は　　いた

하가 이타이데스

JAN
19

방해해서
죄송합니다.

🇺🇸 **I'm sorry to interrupt you.**

interrupt 방해하다

🇨🇳 **对不起打扰您了。**

duìbúqǐdǎrǎonínle.

뚜에이 부 치 다 라r오 닌 러

🇯🇵 **お邪魔して すみません。**
　　じゃ ま

오쟈마시테 스미마셍

두통이 있어요.

🇺🇸 **I have a headache.**

headache 두통

🇨🇳 **头疼。**

tóuténg.

토우 텅

🇯🇵 **頭痛が します。**

즈츠 - 가 시마스

칭찬해줘서
감사합니다.

🇺🇸 **Thank you for the compliment.**

compliment 칭찬, 찬사

🇨🇳 **谢谢您的称赞。**

xièxieníndechēngzàn.

씨에 시에 닌 더 청r 짠

🇯🇵 **お誉めいただき、ありがとうござ
います。**

오호메이타다키, 아리가토 - 고자이마스

DEC
13

체했어요.

....

🇺🇸 **I have an upset stomach.**

upset 속상한, 배탈, stomach 배

🇨🇳 **积食了。**

jīshíle.

찌 싈r 러

🇯🇵 **胃もたれが します。**

い

이모타레가 시마스

JAN
21

걱정해주셔서
감사합니다.

....

🇺🇸 **Thank you for your concern.**

concern ~를 걱정스럽게 만들다

🇨🇳 **谢谢您的担心。**

xièxieníndedānxīn.

씨에 시에 닌 더 딴 씬

🇯🇵 **ご心配、ありがとうございます。**
（しんぱい）

고심파이, 아리가토 – 고자이마스

DEC
12

몸살 났어요.

....

🇺🇸 **I'm aching all over.**

ache 아픈, all over 온 데

🇨🇳 **身体不舒服。**

shēntǐbùshūfu.

션r 티 뿌 슈r f우

🇯🇵 **悪寒が します。**
お　かん

오캉가 시마스

**JAN
22**

과찬이십니다.

🇺🇸 **I am flattered.**

flatter 아첨하다

🇨🇳 **您过奖了。**

nínguòjiǎngle.

닌 꾸어 지앙 러

🇯🇵 **身に余る お言葉です。**

미니아마루 오코토바데스

감기 걸렸어요.

🇺🇸 **I've got a cold.**

= I caught a cold.

🇨🇳 **得感冒了。**

dégǎnmàole.

드어 간 마오 러

🇯🇵 **風邪を ひきました。**
かぜ

카제오 히키마시타

JAN
23

새해 복 많이 받으세요.

🇺🇸 **Happy new year!**

new year 새해

🇨🇳 **新年快乐。**

xīnniánkuàilè.

씬 니엔 쿠아이 러

🇯🇵 **明けまして おめでとうございます。**

あ

아케마시테 오메데토 – 고자이마스

DEC
10

한국어 버전 있나요?

· ·

Do you have a Korean version?

version 버전

有韩文的吗?

yǒuhánwéndema?

요우 한 원 더 마

かんこく ご
韓国語バージョンも ありますか？

캉코쿠고바 - 죤모 아리마스카

JAN
24

생일 축하해.

🇺🇸 **Happy birthday!**

birthday 생일

🇨🇳 **祝你生日快乐。**

zhùnǐshēngrìkuàilè.

쭈r 니 성r 르r 쿠아이 러

🇯🇵 **お誕生日 おめでとう。**
たんじょう び

오탄죠 - 비 오메데토 -

DEC
9

사진 찍어도 되나요?

🇺🇸 **Can I take photos?**

take photo 사진을 찍다

🇨🇳 **可以拍照吗?**

kěyǐpāizhàoma?

크어 이 파이 짜r오 마

🇯🇵 **写真を 撮っても いいですか?**

しゃしん　　と

샤싱오 톳테모 이 - 데스카

JAN
25

조의를 표합니다.

....

🇺🇸 **Rest in peace.**

= R.I.P.

🇨🇳 **我深表哀悼之心。**

wǒshēnbiǎoāidàozhīxīn.

워 션r 비아오 아이 따오 즐r 씬

🇯🇵 **謹んで お悔やみ 申し上げます。**
　　つつし　　　 く　　　 もう あ

츠츠신데 오쿠야미 모 - 시아게마스

DEC
8

들어가도 되나요?

🇺🇸 **Can I go inside?**

inside ~의 안에

🇨🇳 **可以进吗？**

kěyǐjìnma?

크어 이 찐 마

は い
🇯🇵 **入っても いいですか？**

하잇테모 이 - 데스카

유감입니다.

🇺🇸 **I am so sorry.**

= That's too bad.

🇨🇳 **真遗憾。**

zhēnyíhàn.

쩐r 이 한

🇯🇵 **残念です。**

ざんねん

잔넨데스

DEC 7

근처에 화장실 있나요?

🇺🇸 **Is there a restroom around here?**

restroom 화장실 (= toilet, bathroom)

🇨🇳 **周围有卫生间吗？**

zhōuwéiyǒuwèishēngjiānma?

죠r우 웨이 요우 웨이 셩r 찌엔 마

🇯🇵 **近くに トイレは ありますか？**
　　ちか

치카쿠니 토이레와 아리마스카

JAN
27

잘 될 거예요.

🇺🇸 **It'll be alright.**

alright 괜찮은, 받아들일 만한

🇨🇳 **肯定会好的。**

kěndìnghuìhǎode.

컨 띵 후에이 하오 더

🇯🇵 **上手くいきますよ。**

うま

우마쿠이키마스요

**DEC
6**

담배 펴도 되나요?

Can I smoke?

smoke (담배를) 피우다, 연기

可以抽烟吗?

kěyǐchōuyānma?

크어 이 쵸r우 옌 마

タバコを 吸っても いいですか？

타바코오 슷테모 이 - 데스카

JAN
28

걱정하지 마세요.

....

🇺🇸 **Don't worry.**

worry 걱정하다

🇨🇳 **别担心。** | **不用担心。**
biédānxīn. | búyòngdānxīn.
비에 딴 씬 | 부 용 딴 씬

しんぱい
🇯🇵 **心配しないでください。**

심파이시나이데쿠다사이

DEC
5

주말에도 운영하나요?

🇺🇸 **Does it open on weekends?**

weekends 주말

🇨🇳 **周末也开吗？**

zhōumòyěkāima?

죠r우 무어 예 카이 마

🇯🇵 **週末にも 開きますか？**

しゅうまつ　　　 ひら

슈 - 마츠니모 히라키마스카

JAN
29

이분은 Jason 씨입니다.

This is Jason.

This is 이분은

这位是Jason。

zhèwèishìJason.

쩌r 웨이 쉴r 제이쓴

こちらは Jasonさんです。

코치라와 제 - 손상데스

DEC
4

언제 닫나요?

🇺🇸 **When does it close?**

close 닫다

🇨🇳 **几点关门?**

jǐdiǎnguānmén?

지 디엔 꾸안 먼

🇯🇵 **何時に 閉まりますか？**

なん じ し

난지니 시마리마스카

**JAN
30**

이쪽은 제 부모님입니다.

🇺🇸 **Here are my parents.**

parents 부모님

🇨🇳 **这是我的父母。**

zhèshìwǒdefùmǔ.

쩌r 쉴r 워 더 f우 무

🇯🇵 **こちらは 私の両親です。**

코치라와 와타시노료 - 싱데스

DEC
3

언제 여나요?

🇺🇸 **When does it open?**

open 열다, 개장하다

🇨🇳 **什么时候开门?**

shénmeshíhòukāimén?

션r 머 쉴r 허우 카이 먼

🇯🇵 **何時に 開きますか?**

なん じ　　 ひら

난지니 히라키마스카

JAN
31

이분은
저희 사장님입니다.

 This is my boss.

boss 상사, 사장

🇨🇳 **这位是我的老板。**

zhèwèishìwǒdelǎobǎn.

쩌r 웨이 싈r 워 더 라오 반

🇯🇵 **こちらは 弊社の社長です。**
へいしゃ　　しゃちょう

코치라와 헤 - 샤노샤쵸 - 데스

DEC 2

학생은 할인되나요?

🇺🇸 **Is there any discount for students?**

discount 할인

🇨🇳 **学生可以打折吗?**

xuéshengkěyǐdǎzhéma?

슈에 셩r 크어 이 다 져r 마

_{がくせいわりびき}
🇯🇵 **学生割引は できますか?**

각세 - 와리비키와 데키마스카

이분은
저희 회사 동료입니다.

🇺🇸 **This is my colleague.**

colleague 동료

🇨🇳 **这位是我的同事。**

zhèwèishìwǒdetóngshì.

쩌r 웨이 실r 워 더 통 실r

🇯🇵 **こちらは 会社の同僚です。**

かいしゃ　どうりょう

코치라와 카이샤노도 - 료 - 데스

DEC
1

성인 한 명이요.

🇺🇸 **One adult, please.**

adult 성인

🇨🇳 **成人一位。**

chéngrényíwèi.

청r 런r 이 웨이

🇯🇵 **大人 一人です。**
おとな ひとり

오토나 히토리데스

이분은 제 친구입니다.

This is my friend.

friend 친구

他/她是我的朋友。

tāshìwǒdepéngyou.

타 쉴r 워 더 펑 요우

他 [tā] 그 / 她 [tā] 그녀

こちらは 私の友達です。

코치라와 와타시노토모다치데스

NOV
30

입장료가 얼마인가요?

🇺🇸 **How much is the entrance fee?**

entrance 입장, fee 요금

🇨🇳 **门票是多少钱?**

ménpiàoshìduōshaoqián?

먼 피아오 쉴r 뚜어 샤오 치엔

にゅうじょうりょう
🇯🇵 **入場料は いくらですか?**

뉴 - 죠 - 료 - 와 이쿠라데스카

FEB
3

이분은
제 남자 친구입니다.

🇺🇸 **This is my boyfriend.**

boyfriend 남자 친구

🇨🇳 **他是我的男朋友。**

tāshìwǒdenánpéngyou.

타 쉴r 워 더 난 펑 요우

🇯🇵 **こちらは 私の彼氏です。**

코치라와 와타시노카레시데스

NOV
29

줄 서신 건가요?

🇺🇸 **Are you in line?**

be in line 줄서다

🇨🇳 **你在排队吗?**

nǐzàipáiduìma?

니 짜이 파이 뚜이 마

🇯🇵 **列に 並んでいますか?**

れつ / なら

레츠니 나란데이마스카

이분은
제 여자 친구입니다.

This is my girlfriend.

girlfriend 여자 친구

她是我的女朋友。

tāshìwǒdenǚpéngyou.

타 싈r 워 더 뉘 펑 요우

こちらは 私の彼女です。

코치라와 와타시노카노죠데스

NOV 28

이거 무슨 줄인가요?

🇺🇸 **What is this line for?**

line 줄

🇨🇳 **这是在排什么队？**

zhèshìzàipáishénmeduì?

쩌r 쉴r 짜이 파이 션r 머 뚜이

🇯🇵 **これは 何の 列ですか？**

코레와 난노 레츠데스카

FEB
5

Mr. Kim을
만나러 왔습니다.

🇺🇸 **I am here to meet Mr. Kim.**

here 여기, meet 만나다

🇨🇳 **我是来见金先生的。**

wǒshìláijiànjīnxiānshengde.

워 실r 라이 찌엔 찐 씨엔 성r 더

🇯🇵 **キムさんに 会いに 来ました。**

키무상니 아이니 키마시타

NOV
27

입구가 어디죠?

🇺🇸 **Where's the entrance?**

entrance 입구

🇨🇳 **入口在哪儿?**

rùkǒuzàinǎr?

루r 코우 짜이 날r

🇯🇵 **入口は どこですか？**

いりぐち

이리구치와 도코데스카

FEB 6

약속이 되어 있으신가요?

....

Do you have an appointment?

appointment (업무 관련) 약속

请问您有约吗?

qǐngwènnínyǒuyuēma?

칭 원 닌 요우 위에 마

お<ruby>約束<rt>やくそく</rt></ruby>は されていますか?

오약소쿠와 사레테이마스카

바로 코너에 있어요.

🇺🇸 **It's right on the corner.**

right 바로, corner 코너

🇨🇳 **就在拐角处。**

jiùzàiguǎijiǎochù.

찌어우 짜이 구아이 지아오 츄r

🇯🇵 **すぐに コーナーが あります。**

스구니 코 - 나 - 가 아리마스

FEB
7

4시에 뵙기로 했습니다.

🇺🇸 **I have an appointment at four o'clock.**

at ~ o'clock ~시에

🇨🇳 **定于4点见面。**

dìngyúsìdiǎnjiànmiàn.

띵 위 쓰 디엔 찌엔 미엔

🇯🇵 **4時に お会いすることに なって います。**

요지니 오아이스루코토니 낫테이마스

NOV
25

쭉 직진하세요.

🇺🇸 **Go straight ahead, please.**

straight 똑바로, 곧장, ahead 앞으로

🇨🇳 **一直走。**

yìzhízǒu.

이 즐r 조우

🇯🇵 **まっすぐ 行ってください。**

맛스구 잇테쿠다사이

이쪽으로 오세요.

🇺🇸 **Please come this way.**

come 오다, this way 이리로

🇨🇳 **请来这边。**

qǐngláizhèbian.

칭 라이 쩌r 삐엔

🇯🇵 **こちらへ どうぞ。**

코치라에 도 - 조

오른쪽으로 가세요.

🇺🇸 **Please turn right.**

right 오른쪽

🇨🇳 **往右走。**

wǎngyòuzǒu.

왕 요우 조우

🇯🇵 **右に 曲がってください。**
みぎ　　ま

미기니 마갓테쿠다사이

기다리고 계십니다.

....

🇺🇸 **He is waiting for you.**

wait for ~ ~를 기다리다

🇨🇳 **在等着你。**

zàiděngzhenǐ.

짜이 덩 저r 니

🔘 **お待ちに なられて いらっしゃい ます。**

오마치니 나라레테 이랏샤이마스

NOV
23

왼쪽으로 가세요.

....

🇺🇸 **Please turn left.**

turn 돌다, 돌리다, left 왼쪽

🇨🇳 **往左走。**

wǎngzuǒzǒu.

왕 주어 조우

🇯🇵 **左に 曲がってください。**
ひだり　ま

히다리니 마갓테쿠다사이

와주셔서 감사합니다.

....

Thank you for coming.

thank you for ~ ~에 대해 감사하다

感谢您的到来。

gǎnxièníndedàolái.

간 씨에 닌 더 따오 라이

お越しいただき、ありがとうござ
います。

오코시이타다키, 아리가토 - 고자이마스

NOV
22

저도 여기 처음이에요.

....

🇺🇸 **I'm also a stranger here.**

stranger 낯선 사람, 처음 온 사람

🇨🇳 **我也第一次来这儿。**

wǒyědìyícìláizhèr.

워 예 띠 이 츠 라이 쩔r

わたし　　　　　　　　 はじ
🇯🇵 **私も ここは 初めてです。**

와타시모 코코와 하지메테데스·

FEB 11

초대해주셔서 감사합니다.

....

🇺🇸 **Thank you for inviting me.**

invite 초대하다

🇨🇳 **感谢您的邀请。**

gǎnxiènínyàoqǐng.

간 씨에 닌 더 야오 칭

🇯🇵 **お招きいただき、ありがとうございます。**

오마네키이타다키, 아리가토 – 고자이마스

NOV
21

여기서 얼마나 걸리나요?

🇺🇸 **How long does it take from here?**

from here 여기서

🇨🇳 **从这里出发需要多长时间？**

cóngzhèlǐchūfāxūyàoduōchángshíjiān?

총 쩌r 리 츄f아 쉬 야오 뚜어 창r 실r 찌엔

🇯🇵 **ここから どれくらい かかりますか？**

코코카라 도레쿠라이 카카리마스카

FEB
12

(만나서) 반갑습니다.

🇺🇸 **Nice to meet you.**

nice 좋다, meet 만나다

🇨🇳 **见到你很高兴。**

jiàndàonǐhěngāoxìng.

찌엔 따오 니 헌 까오 씽

🇯🇵 **お会いできて 嬉しいです。**

오아이데키테 우레시 - 데스

NOV 20

병원이 어디에 있죠?

Where is the hospital?

hospital 병원

医院在哪里?

yīyuànzàinǎlǐ?

이 위엔 짜이 나 리

びょういん
病院は どこに ありますか？

뵤 - 잉와 도코니 아리마스카

FEB
13

Mike라고 불러주세요.

Please call me Mike.

call 부르다

叫我Mike就行了。

jiàowǒMikejiùxíngle.

찌아오 워 마이크 찌어우 싱 러

Mikeと お呼びください。

마이크토 오요비쿠다사이

NOV
19

환불해주세요.

🇺🇸 **I'd like to get a refund.**

refund 환불

🇨🇳 **请给我退钱。**

qǐnggěiwǒtuìqián.

칭 게이 워 투이 치엔

はら　　もど
🔘 **払い戻してください。**

하라이모도시테쿠다사이

FEB
14

제 명함입니다.

Here is my business card.

business card 명함

这是我的名片。

zhèshìwǒdemíngpiàn.

쩌r 실r 워 더 밍 피엔

こちら、私(わたし)の名刺(めいし)です。

코치라, 와타시노메 - 시데스

NOV 18

교환하고 싶어요.

🇺🇸 **I'd like to exchange.**

exchange 교환

🇨🇳 **我想要换货。**

wǒxiǎngyàohuànhuò.

워 시앙 야오 후안 후어

こうかん
🇯🇵 **交換して ほしいです。**

코 - 캉시테 호시 - 데스

FEB 15

직접 뵙게 되어 반갑습니다.

🇺🇸 **Nice to meet you in person.**

in person 직접

🇨🇳 **见到你很荣幸。**

jiàndàonǐhěnróngxìng.

찌엔 따오 니 헌 롱r 씽

🇯🇵 **直接 お会いできて 嬉しいです。**

ちょくせつ　あ　　　　　うれ

쵸쿠세츠 오아이데키테 우레시 - 데스

NOV
17

포장해주세요.

🇺🇸 **Please wrap this up.**

warp 포장

🇨🇳 **包装一下吧。**

bāozhuāngyíxiàba.

빠오 쭈r앙 이 씨아 바

🇯🇵 **包んでください。**
つつ

츠츤데쿠다사이

FEB
16

말씀 많이 들었습니다.

....

🇺🇸 **I've heard a lot about you.**

hear 듣다, a lot 많이

🇨🇳 **百闻不如一见。**

bǎiwénbùrúyíjiàn.

바이 원 뿌 루r 이 찌엔

🇯🇵 **お話は よく 伺っております。**
はなし　　　　　うかが

오하나시와 요쿠 우카갓테오리마스

이걸로 할게요.

🇺🇸 **I'll take this.**

= I'll get this one.

🇨🇳 **就要这个。**

jiùyàozhège.

찌어우 야오 쩌r 거

🔘 **これにします。**

코레니시마스

FEB 17

(만나고 나서) 반가웠습니다.

....

🇺🇸 **It was nice meeting you.**

nice 좋다, meet 만나다

🇨🇳 **很高兴见到你。**

hěngāoxìngjiàndàonǐ.

헌 까오 씽 찌엔 따오 니

🇯🇵 **お会いできて 嬉しかったです。**

오아이데키테 우레시캇타데스

NOV
15

이거 품절됐나요?

🇺🇸 **Is this sold out?**

be sold out 품절되다

🇨🇳 **这个断货了吗?**

zhègeduànhuòlema?

쩌 거 뚜안 후어 러 마

🇯🇵 **これ、売り切れですか?**

코레, 우리키레데스카

FEB
18

다음에 또 봐요.(만나요.)

🇺🇸 **See you next time.**

next time 다음에

🇨🇳 **以后见。**

yǐhòujiàn.

이 허우 찌엔

🇯🇵 **また お会いしましょう。**
あ

마타 오아이시마쇼-

NOV 14

새 상품으로 주세요.

🇺🇸 **I'd like to get a new one.**

a new one 새 것

🇨🇳 **给我新的吧。**

gěiwǒxīndeba.

게이 워 씬 더 바

🇯🇵 **新しい物を ください。**

あたら / もの

아타라시 - 모노오 쿠다사이

FEB
19

성함이 어떻게 되세요?

What's your name?

name 이름

你叫什么名字? | 您贵姓?

nǐjiàoshénmemíngzì? | nínguìxìng?

니 찌아오 션r 머 밍 쯔 | 닌 꾸에이 씽

お名前は 何ですか?

오나마에와 난데스카

NOV
13

하나 골라주세요.

 Please pick one for me.

pick 고르다

你帮我选一个。

nǐbāngwǒxuǎnyígè.

니 빵 워 쉔 이 거

一つ 選んでください。

ひと　えら

히토츠 에란데쿠다사이

FEB
20

제 이름은 김지원입니다.

🇺🇸 **My name is Jiwon Kim.**

My name is ~ 제 이름은 ~

🇨🇳 **我叫金知愿。**

wǒjiàojīnzhīyuàn.

워 찌아오 찐 즐r 위엔

🇯🇵 **私の名前は キムジウォンです。**

와타시노나마에와 키무지원데스

이게 제일 마음에 드네요.

🇺🇸 **I like this one the most.**

the most 최고의

🇨🇳 **我最喜欢这个。**

wǒzuìxǐhuanzhège.

워 쭈이 시 후안 쩌r 거

🇯🇵 **これが 一番 気に入りました。**

코레가 이치방 키니이리마시타

FEB
21

나이가 어떻게 되시죠?

🇺🇸 **How old are you?**

old 나이가 ~인, 늙은, 낡은

🇨🇳 **你几岁?** | **您多大?**

nǐjǐsuì? | nínduōdà?

니 지 쑤이 | 닌 뚜어 따

🇯🇵 **年は おいくつですか?**

토시와 오이쿠츠데스카

NOV
11

세일 중인가요?

Is this on sale?

on sale 세일 중인

正在打折吗?

zhèngzàidǎzhéma?

쩡r 짜이 다 져r 마

セール<ruby>中<rt>ちゅう</rt></ruby>ですか?

세 - 루츄 - 데스카

**FEB
22**

제 나이는 31살입니다.

....

🇺🇸 **I am thirty-one years old.**

thirty-one 서른하나

🇨🇳 **我三十一岁。**

wǒsānshíyīsuì.

워 싼 쓀r 이 쑤이

🇯🇵 **私は ３１歳です。**

わたし　　さんじゅういっさい

와타시와 산쥬 - 잇사이데스

NOV
10

이걸로 저에게
맞는 사이즈 있나요?

Do you have this in my size?

in my size 내 사이즈

有适合我的尺码吗?

yǒushìhéwǒdechǐmǎma?

요우 쉴r 흐어 워 더 츨r 마 마

これで 私に ピッタリのサイズは
ありますか?

わたし

코레데 와타시니 핏타리노사이즈와 아리마스카

FEB
23

어디에 사시나요?

 Where do you live?

live 살다

你住在哪里?

nǐzhùzàinǎlǐ?

니 쭈r 짜이 나 리

◉ **どこに 住んでいますか?**

도코니 슨데이마스카

이걸로 다른 색상 있나요?

🇺🇸 **Do you have this in different color?**

different 다른, color 색

🇨🇳 **有别的颜色的吗?**

yǒubiédeyánsèdema?

요우 비에 더 옌 쓰어 더 마

🇯🇵 他の色は ありますか？

호카노이로와 아리마스카

**FEB
24**

저는 서울에 살아요.

 I live in Seoul.

in Seoul 서울에

我住在首尔。

wǒzhùzàishǒuěr.

워 쭈r 짜이 쇼r우 얼r

私は ソウルに 住んでいます。

와타시와 소우루니 슨데이마스

NOV
8

더 작은 사이즈 있나요?

🇺🇸 **Do you have a smaller one?**

smaller 더 작은

🇨🇳 **有小一点儿的吗?**

yǒuxiǎoyìdiǎnrdema?

요우 씨아오 이 디알r 더 마

🇯🇵 **もっと 小さいサイズは あります
か?**

못토 치 - 사이사이즈와 아리마스카

FEB
25

어디서 오셨나요? (고향)

Where are you from?

= Where do you come from?

你是从哪里来的?

nǐshìcóngnǎlǐláide?

니 쉬r 총 나 리 라이 더

<ruby>出身<rt>しゅっしん</rt></ruby>は どこですか？

슛싱와 도코데스카

더 큰 사이즈 있나요?

***

Do you have a bigger one?

bigger 더 큰

有大一点儿的吗?

yǒudàyìdiǎnrdema?

요우 따 이 디알r 더 마

もっと 大きいサイズは ありますか？

못토 오 - 키 - 사이즈와 아리마스카

FEB 26

저는 한국에서 왔습니다.

....

🇺🇸 **I'm from Korea.**

= I come from Korea.

🇨🇳 **我来自韩国。**

wǒláizìhánguó.

워 라이 즈 한 구어

🇯🇵 **私は 韓国から 来ました。**

わたし　かんこく　き

와타시와 캉코쿠카라 키마시타

NOV
6

어때요?

🇺🇸 **How is it?**

= How do you like it?

🇨🇳 **好看吗?**

hǎokànma?

하오 칸 마

🇯🇵 **どうですか?**

도 - 데스카

FEB
27

무슨 일 하세요?

🇺🇸 What do you do?

= What's your job?

🇨🇳 你做什么工作?

nǐzuòshénmegōngzuò?

니 쭈어 선r 머 꽁 쭈어

🇯🇵 どんな お仕事を していますか?
しごと

돈나 오시고토오 시테이마스카

NOV
5

입어봐도 되나요?

....

🇺🇸 **Can I try it on?**

try ~ on ~를 입어보다

🇨🇳 **可以试穿吗?**

kěyǐshìchuānma?

크어 이 쉴r 추r 안 마

🇯🇵 **試着してみても いいですか？**

し ちゃく

시챠쿠시테미테모 이 - 데스카

FEB
28

저는 의사입니다.

....

🇺🇸 **I am a doctor.**

doctor 의사

🇨🇳 **我是医生。**

wǒshìyīshēng.

워 실r 이 셩r

🇯🇵 **私は 医者です。**

わたし / いしゃ

와타시와 이샤데스

**NOV
4**

이건 얼마인가요?

How much is this?

how much 얼마

这个多少钱?

zhègeduōshaoqián?

쩌r 거 뚸어 샤r오 치엔

これは いくらですか?

코레와 이쿠라데스카

MAR
1

결혼하셨나요?

....

🇺🇸 **Are you married?**

marry 결혼하다

🇨🇳 **你结婚了吗?**

nǐjiéhūnlema?

니 찌에 훈 러 마

🇯🇵 けっこん
結婚していますか?

켁콩시테이마스카

NOV
3

신상 있나요?

🇺🇸 **Do you have any new arrivals?**

new arrivals 신상품

🇨🇳 **有新产品吗?**

yǒuxīnchǎnpǐnma?

요우 씬 찬r 핀 마

しんしょうひん
🇯🇵 **新商品は ありますか?**

신쇼 - 힝와 아리마스카

MAR
2

네, 결혼했습니다.

🇺🇸 **Yes, I'm married.**

be married 결혼하다

🇨🇳 **是的，结婚了。**

shìdejiéhūnle.

실r 더 찌에 훈 러

🇯🇵 **はい、結婚しています。**
けっこん

하이, 켁콩시테이마스

NOV
2

추천해주세요.

🇺🇸 **Can you recommend?**

recommend 추천하다

🇨🇳 **您推荐一下吧。**

níntuījiànyíxiàba.

닌 투이 찌엔 이 씨아 바

🇯🇵 **おすすめは ありますか？**

오스스메와 아리마스카

MAR 3

식구는 몇 명인가요?

··

🇺🇸 **How many people are there in your family?**

people 사람, family 가족

🇨🇳 **你家有几口人？**

nǐjiāyǒujǐkǒurén?

니 찌아 요우 지 코우 런r

🇯🇵 **何人家族ですか？**
なんにん か ぞく

난닝카조쿠데스카

NOV
1

바지 사려고요.

🇺🇸 **I'm looking for a pair of pants.**

look for 찾다

🇨🇳 **我要买裤子。**

wǒyàomǎikùzi.

워 야오 마이 쿠 즈

🇯🇵 **ズボンを 買いたいですけど。**

즈봉오 카이타이데스케도

아들 하나 있습니다.

🇺🇸 **I have a son.**

son 아들

🇨🇳 **有一个儿子。**

yǒuyígèěrzi.

요우 이 꺼 얼r 즈

🇯🇵 **息子が 一人います。**

무스코가 히토리이마스

그냥 둘러볼게요.

. . . .

I'm just looking around.

look around 둘러보다

我就看看。

wǒjiùkànkan.

워 찌어우 칸 칸

み　　まわ
見て回っても いいですか？

미테마왓테모 이 - 데스카

친절하시네요.

🇺🇸 **You are so kind.**

kind 친절한, 상냥한

🇨🇳 **你好亲切啊。**

nǐhǎoqīnqièa.

니 하오 친 치에 아

しんせつ
🇯🇵 **親切ですね。**

신세츠데스네

OCT 30

도와드릴까요?

🇺🇸 **May I help you?**

= Can I help you?

🇨🇳 **需要帮助吗?**

xūyàobāngzhùma?

쉬 야오 빵 쭈r 마

🇯🇵 **お手伝いしましょうか?**

오테츠다이시마쇼 - 카

예쁘시네요.

🇺🇸 **You are so beautiful.**

beautiful 아름다움, 예쁜

🇨🇳 **你真漂亮。**

nǐzhēnpiàoliang.

니 쩐r 피아오 리앙

🇯🇵 **綺麗^{き れい}ですね。**

키레 - 데스네

OCT
29

내가 살게.

 It's on me.

= I'll treat you.

🇨🇳 **我请客。**

wǒqǐngkè.

워 칭 크어

🇯🇵 <ruby>私<rt>わたし</rt></ruby>が <ruby>奢<rt>おご</rt></ruby>るよ。

와타시가 오고루요

MAR
7

귀여우시네요.

You are so cute.

cute 귀여운

你真可爱。

nǐzhēnkěài.

니 쩐r 크어 아이

か わい
可愛いですね。

카와이 - 데스네

OCT
28

남은 음식 좀
포장해주세요.

🇺🇸 **Can I get a doggy bag?**

doggy bag 남은 음식을 싸 가는 봉지

🇨🇳 **剩下的菜打包一下吧。**

shèngxiàdecàidǎbāoyíxiàba.

성r 씨아 더 차이 다 빠오 이 씨아 바

🇯🇵 **残った 食べ物は 包んでください。**
のこ　　　　た　もの　　　　　つつ

노콧타 타베모노와 츠츤데쿠다사이

과묵하시네요.

....

🇺🇸 **You are so quiet.**

quiet 조용한

🇨🇳 **你很沉默。**

nǐhěnchénmò.

니 헌 천r 모어

🇯🇵 **無口ですね。**
む くち

무쿠치데스네

OCT
27

다 먹었어요.

....

🇺🇸 **I'm done.**

done 다 끝난

🇨🇳 **吃完了。**

chīwánle.

츨r 완 러

🇯🇵 **食べ終わりました。**

타베오와리마시타

MAR 9

멋지시네요.

- -

🇺🇸 **You are so cool.**

cool 멋진, 끝내 주는

🇨🇳 **你很帅。**

nǐhěnshuài.

니 헌 슈r아이

かっこう
🇯🇵 **格好いいですね。**

칵코 - 이 - 데스네

OCT
26

아직 먹고 있어요.

🇺🇸 **I'm working on it.**

work on ~에 애쓰다, 먹고 있다

🇨🇳 **还在吃呢。**

háizàichīne.

하이 짜이 츨r 너

🇯🇵 **まだ 食べています。**

마다 타베테이마스

MAR 10

무례하시네요.

You are so rude.

rude 무례한, 예의없는

你太无礼了。

nǐtàiwúlǐle.

니 타이 우 리 러

しつれい　ひと
失礼な人ですね。

시츠레 - 나히토데스네

OCT 25

배불러.

🇺🇸 **I'm full.**

full 가득 찬, 배부른

🇨🇳 **够了。** | **吃饱了。**

gòule. | chībǎole.

꼬우 러 | 츨r 바오 러

🇯🇵 **お腹 いっぱいだよ。**
<ruby>なか</ruby>

오나카 입파이다요

MAR
11

활발하시네요.

....

🇺🇸 **You are outgoing.**

outgoing 활발한, 외향적인

🇨🇳 **你很活泼啊。**

nǐhěnhuópoa.

니 헌 후어 포 아

🇯🇵 **アクティブですね。**

아쿠티부데스네

OCT
24

더 먹을래?

....

🇺🇸 **Would you like some more?**

more 더 많은

🇨🇳 **要再吃点儿吗?**

yàozàichīdiǎnǎrma?

야오 짜이 츨r 디알r 마

🇯🇵 **もっと 食^たべる?**

못토 타베루

MAR
12

맛있어요.

· ·

🇺🇸 **It's delicious.**

delicious 아주 맛있는, 냄새가 좋은

🇨🇳 **太好吃了。**

tàihǎochīle.

타이 하오 츨r 러

🇯🇵 **美味しいです。**

오이시 - 데스

OCT
23

배고파.

🇺🇸 **I'm hungry.**

hungry 배고픈

🇨🇳 **我很饿。**

wǒhěnè.

워 헌 으어

🇯🇵 **お腹 空いた。**
なか す

오나카 스이타

매워요.

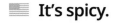

It's spicy.

spicy 매운

有点儿辣。

yǒudiǎnrlà.

요우 디알r 라

から
辛いです。

카라이데스

OCT
22

같이 먹을 거예요.

🇺🇸 **We'd like to share it.**

share 나누다

🇨🇳 **我们想一起吃。**

wǒmenxiǎngyìqǐchī.

워 먼 시앙 이 치 츨r.

🇯🇵 **分けて 食べます。**

와케테 타베마스

MAR
14

써요.

It's bitter.

bitter 쓴

有点儿苦。

yǒudiǎnrkǔ.

요우 디알r 쿠

にが
苦いです。

니가이데스

OCT
21

같은 걸로 주세요.

. . . .

🇺🇸 **Make it two, please.**
= I'd like to get a same one.

🇨🇳 **我也点一样的。**
wǒyědiǎnyíyàngde.
워 예 디엔 이 양 더

🇯🇵 **同じものを ください。**
おな
오나지모노오 쿠다사이

MAR
15

달아요.

🇺🇸 **It's sweet.**

sweet 달콤한

🇨🇳 **有点儿甜。**

yǒudiǎnrtián.

요우 디알r 티엔

🇯🇵 **甘いです。**
あま

아마이데스

OCT
20

뭐가 맛있나요?

🇺🇸 What's good here?

= What do you recommend?

🇨🇳 有什么美味的?

yǒushénmeměiwèide?

요우 션r 머 메이 웨이 더

🇯🇵 何が 美味しいですか？
なに　　　お　い

나니가 오이시 - 데스카

MAR
16

짜요.

It's salty.

salty 짠

有点儿咸。
yǒudiǎnrxián.
요우 디알r 시엔

しょっぱいです。
숍파이데스

주문할게요.

🇺🇸 **I'm ready to order.**

ready 준비된, order 주문

🇨🇳 **服务员，点菜。**

fúwùyuán, diǎncài.

f우 우 위엔, 디엔 차이

🇯🇵 **注文 お願いします。**
（ちゅうもん）（ねが）

츄 - 몽 오네가이시마스

MAR
17

싱거워요.

🇺🇸 **It's bland.**

bland 싱거운

🇨🇳 **有点儿口淡。**

yǒudiǎnrkǒudàn.

요우 디알r 코우 딴

🇯🇵 **味が 薄いです。**
あじ　　うす

아지가 우스이데스

OCT
18

뭐 먹을래?

....

🇺🇸 **What would you like to eat?**

eat 먹다

🇨🇳 **你想吃什么?**

nǐxiǎngchīshénme?

니 시앙 츨r 션r 머

🇯🇵 **何食べる?**

なに た

나니타베루

MAR 18

시어요.

🇺🇸 **It's sour.**

sour 새콤한, 신

🇨🇳 **有点儿酸。**

yǒudiǎnrsuān.

요우 디알 쑤안

🇯🇵 **酸っぱいです。**

습파이데스

OCT
17

두 명 자리 주세요.

🇺🇸 **I'd like a table for two.**

a table for ~ ~명 자리

🇨🇳 **给我两人的位子。**

gěiwǒliǎngréndewèizi.

게이 워 리앙 런r 더 웨이 즈

🇯🇵 **二人用の席を ください。**
ふ た り よ う せ き

후타리요 – 노세키오 쿠다사이

MAR
19

귀여워요.

··

🇺🇸 **It's cute.**

cute 귀여운

🇨🇳 **太可爱啦。**

tàikěàila.

타이 크어 아이 라

🇯🇵 か わい
可愛いです。

카와이 - 데스

OCT
16

예약 없이 가도 되나요?

🇺🇸 **Do you take walk-ins?**

walk-in 예약이 필요 없는

🇨🇳 **不用预约也可以吗?**

búyòngyùyuēyěkěyǐma?

부 용 위 위에 예 크어 이 마

🇯🇵 **予約なしで 行っても いいですか？**

요야쿠나시데 잇테모 이 - 데스카

무서워요.

🇺🇸 **It's scary.**

scary 무서운

🇨🇳 **有点儿怕。**

yǒudiǎnrpà.

요우 디알r 파

こわ
🇯🇵 **怖いです。**

코와이데스

OCT
15

각자 내자.

🇺🇸 **Let's split the bill.**

split 나누다, bill 계산서

🇨🇳 **AA制吧。**

AAzhìba.

에이 에이 즐r 바

🇯🇵 **割り勘に しよう。**
わ　　かん

와리캉니 시요 –

MAR 21

비싸요.

🇺🇸 **It's expensive.**

expensive 비싼

🇨🇳 **有点儿贵。**

yǒudiǎnrguì.

요우 디알r 꾸에이

🔴 **高いです。**

たか (高)

타카이데스

OCT
14

제 거예요.

🇺🇸 **It's mine.**

mine 나의 것

🇨🇳 **是我的。**

shìwǒde.

쉴r 워 더

わたし
🇯🇵 **私のです。**

와타시노데스

MAR
22

싸요.

🇺🇸 **It's cheap.**

cheap 싼

🇨🇳 **很便宜。**

hěnpiányi.

헌 피엔 이

^{やす}
🇯🇵 **安いです。**

야스이데스

목말라.

🇺🇸 **I'm thirsty.**

thirsty 목마른

🇨🇳 **渴死啦。**

kěsǐla.

크어 쓰 라

の ど か わ
🇯🇵 **喉 渇いた。**

노도 카와이타

MAR
23

예뻐요.

．．

It's pretty.

pretty 예쁜

很漂亮。

hěnpiàoliang.

헌 피아오 리앙

き れい
綺麗です。

키레 - 데스

OCT
12

뭐 마실래?

....

🇺🇸 **What do you want to drink?**

drink 마시다

🇨🇳 **你要喝什么？**

nǐyàohēshénme?

니 야오 흐어 션r 머

🇯🇵 ^{なに の} **何飲む？**

나니노무

MAR
24

좋아요.

🇺🇸 **It's good.**

good 좋은

🇨🇳 **好啦。**

hǎola.

하오 라

🇯🇵 **良いです。**
い

이 - 데스

OCT
11

리필이 되나요?

🇺🇸 **Can I get a refill?**

refill 리필

🇨🇳 **可以续杯吗?**

kěyǐxùbēima?

크어 이 쉬 뻬이 마

🇯🇵 **お代^かわりできますか?**

오카와리데키마스카

싫어요.

....

🇺🇸 **It's bad.**

bad 나쁜, 싫은

🇨🇳 **讨厌。**

tǎoyàn.

타오 옌

いや
🇯🇵 **嫌です。**

이야데스

OCT
10

여기서 드실 건가요
가져가실 건가요?

🇺🇸 **Here or to go?**

to go 남아 있는, 포장

🇨🇳 **在这里吃还是打包？**

zàizhèlǐchīháishìdǎbāo?

짜이 쩌r 리 츨r 하이 쉴r 다 빠오

🇯🇵 **こちらで お召し上がりですか？**
お持ち帰りですか？

코치라데 오메시아가리데스카 오모치카에리데스카

MAR
26

웃겨요.

🇺🇸 **It's funny.**

funny 웃긴

🇨🇳 **好笑。**

hǎoxiào.

하오 씨아오

🇯🇵 **面白いです。**

おもしろ

오모시로이데스

아메리카노 한 잔 주세요.

....

🇺🇸 **One Americano, please.**

Americano 아메리카노

🇨🇳 **请给我一杯美式咖啡。**

qǐnggěiwǒyìbēiměishìkāfēi.

칭 게이 워 이 뻬이 메이 쓸r 카 f에이

🇯🇵 **ブラックコーヒーを 一杯ください。**

부락쿠코 - 히 - 오 입파이쿠다사이

지루해요.

🇺🇸 **It's boring.**

boring 지루한

🇨🇳 **没有意思。**

méiyǒuyìsi.

메이 요우 이 쓰

🇯🇵 たいくつ
退屈です。

타이쿠츠데스

OCT
8

한 번만 봐주세요.

....

🇺🇸 **Can you give me a break?**

give a break 기회를 주다, 봐주다

🇨🇳 **请您原谅我吧。**

qǐngnínyuánliàngwǒba.

칭 닌 위엔 리앙 워 바

🇯🇵 こんかい
今回だけ み のが
見逃してください。

콩카이다케 미노가시테쿠다사이

재미있어요.

🇺🇸 **It's interesting.**

interesting 재미있는

🇨🇳 **有意思。**

yǒuyìsi.

요우 이 쓰

🇯🇵 **面白いです。**
おもしろ

오모시로이데스

OCT
7

벌금은 얼마인가요?

🇺🇸 **How much is the fine?**

fine 벌금

🇨🇳 **罚款多少钱?**

fákuǎnduōshaoqián?

f아 쿠안 뚜어 샤r오 치엔

ばっきん
🇯🇵 **罰金は いくらですか?**

박킹와 이쿠라데스카

MAR 29

어색해요.

....

🇺🇸 **It's awkward.**

awkward 어색한

🇨🇳 **很尴尬。**

hěngāngà.

헌 깐 까

🇯🇵 **気まずいです。**

키마즈이데스

OCT
6

주차 요금은 얼마인가요?

How much is the parking fee?

parking 주차, fee 요금

停车费多少钱?

tíngchēfèiduōshaoqián?

팅 츠r어 f에이 뚜어 샤오 치엔

ちゅうしゃりょうきん
駐車料金は いくらですか?

츄 - 샤료 - 킹와 이쿠라데스카

MAR 30

불편해요.

🇺🇸 **It's uncomfortable.**

uncomfortable 불편한

🇨🇳 **不方便。**

bùfāngbiàn.

뿌 f앙 삐엔

🇯🇵 **不便です。**

후벵데스

OCT
5

여기 유턴 가능한가요?

Is it possible to make a U-turn here?

possible 가능한, U-turn 유턴

这儿可以掉头吗?

zhèrkěyǐdiàotóuma?

쩔r 크어 이 띠아오 토우 마

ここで Uターンできますか?

코코데 유 - 탕데키마스카

MAR
31

독특해요.

🇺🇸 **It's unique.**
unique 특별한

🇨🇳 **很独特。**
hěndǔtè.
헌 두 트어

🇯🇵 **独特です。**
<ruby>独特<rt>どくとく</rt></ruby>
도쿠토쿠데스

지름길이 있나요?

🇺🇸 **Is there a short cut?**

short cut 지름길

🇨🇳 **有捷径吗？**

yǒujiéjìngma?

요우 찌에 찡 마

🇯🇵 **抜け道は ありますか？**
ぬ　　みち

누케미치와 아리마스카

APR
1

평범해요.

🇺🇸 **It's normal.**

normal 보통의, 평범한

🇨🇳 **很平凡。**

hěnpíngfán.

헌 핑 f안

🇯🇵 **平凡です。**

へいぼん

헤 - 봉데스

OCT 3

주차장은 어디에 있나요?

🇺🇸 **Where's the parking lot?**

parking lot 주유소

🇨🇳 **停车场在哪儿?**

tíngchēchǎngzàinǎr?

팅 츠r어r 창r 짜이 날r

^{ちゅうし}^{やじょう}
🇯🇵 **駐車場は どこに ありますか?**

츄 - 샤죠 - 와 도코니 아리마스카

APR
2

행복해요.

🇺🇸 **I'm happy.**

happy 행복한

🇨🇳 **很幸福。**

hěnxìngfú.

헌 씽 f우

🇯🇵 **幸せです。**
しあわ

시아와세데스

OCT
2

주유소는 어디에 있나요?

Where's the gas station?

gas station 주유소

加油站在哪儿?

jiāyóuzhànzàinǎr?

찌아 요우 짠r 짜이 날r

**ガソリンスタンドは どこに あり
ますか?**

가소린스탄도와 도코니 아리마스카

기뻐요.

🇺🇸 **I'm so glad.**

glad 기쁜

🇨🇳 **很高兴。**

hěngāoxìng.

헌 까오 씽

うれ
🇯🇵 **嬉しいです。**

우레시 - 데스

OCT 1

잘 못 탄 거 같아요.

🇺🇸 **I think I got on the wrong train.**

wrong 잘못된

🇨🇳 **我坐错了。**

wǒzuòcuòle.

워 쭈어 추어 러

🇯🇵 **乗り間違えたみたいです。**

の　　まちが

노리마치가에타미타이데스

슬퍼요.

🇺🇸 **I'm sad.**

sad 슬픈

🇨🇳 **很难受。**

hěnnánshòu.

헌 난 쇼r우

🇯🇵 **悲しいです。**

かな

카나시 - 데스

**SEP
30**

몇 번 출구로
나가야 하나요?

Which exit should I go?

exit 출구

我得从几号出口出去?

wǒděicóngjǐhàochūkǒuchūqu?

워 데이 총 지 하오 츄r 코우 츄r 취

なんばん で ぐち   で
何番出口に 出れば いいですか?

남방데구치니 데레바 이 - 데스카

APR
5

지쳤어요.

🇺🇸 **I'm tired.**

tired 지친, 피곤한

🇨🇳 **我累了。**

wǒlèile.

워 레이 러

🇯🇵 **疲れました。**
つか

츠카레마시타

티켓 발매기는 어디 있나요?

🇺🇸 **Where's the ticket machine?**

ticket machine 티켓 발매기

🇨🇳 **在哪儿买机票?**

zàinǎrmǎijīpiào?

짜이 날r 마이 찌 피아오

🇯🇵 **チケット自動販売機は どこに あ りますか?**

치켓토지도 - 함바이키와 도코니 아리마스카

APR
6

화나요.

🇺🇸 **I'm angry.**

angry 화난, 성난

🇨🇳 **我生气了。**

wǒshēngqìle.

워 셩r 치 러

🇯🇵 **腹<small>はら</small>が 立<small>た</small>ちます。**

하라가 타치마스

**SEP
28**

어디에서 환승해야 하나요?

🇺🇸 **Where should I transfer?**

transfer 환승하다

🇨🇳 **我得在哪里换乘?**

wǒděizàinǎlǐhuànchéng?

워 데이 짜이 나 리 후안 청r

🇯🇵 **どこで 乗り換えしますか?**

도코데 노리카에시마스카

흥분돼요.

🇺🇸 **I'm excited.**

excited 흥분한

🇨🇳 **我很兴奋。**

wǒhěnxìngfèn.

워 헌 씽 f언

🇯🇵 こうふん
興奮します。

코 - 훙시마스

SEP
27

몇 호선이 공항으로 가나요?

🇺🇸 **Which line goes to the airport?**

airport 공항

🇨🇳 **几号线去机场?**

jǐhàoxiànqùjīchǎng?

지 하오 씨엔 취 찌 창r

🇯🇵 **空港に 行くのに 何線に 乗れば いいですか?**

쿠 - 코 - 니 이쿠노니 나니셍니 노레바 이 - 데스카

푹 빠졌어요.

....

I'm into it.

be into ~ ~에 관심이 많다

我很迷醉。

wǒhěnmízuì.

워 헌 미 쭈이

ハマっています。

하맛테이마스

중앙선은 어디에서 타나요?

🇺🇸 **Where can I take Central line?**

Central line 중앙선

🇨🇳 **在哪儿坐中央线?**

zàinǎrzuòzhōngyāngxián?

짜이 날r 쭈어 쫑r 양 시엔

ちゅうおうせん　　　　　の　か
🇯🇵 **中央線は どこで 乗り換えします**
か？

츄 - 오 - 셍와 도코데 노리카에시마스카

APR
9

답답하네.

🇺🇸 **I'm frustrated.**

frustrated 좌절감을 느끼는, 불만스러워 하는

🇨🇳 **我有点纳闷儿啦。**

wǒyǒudiǎnnàmènrla.

워 요우 디엔 나 멀r 라

🇯🇵 **もどかしいね。**

모도카시 - 네

SEP
25

지하철 역은 어디에 있나요?

🇺🇸 **Where's the subway station?**

subway 지하철, station 역

🇨🇳 **地铁站在哪儿?**

dìtiězhànzàinǎr?

띠 티에 짠r 짜이 날r

🇯🇵 **地下鉄の駅は どこに ありますか?**

치카테츠노에키와 도코니 아리마스카

**APR
10**

걱정돼.

🇺🇸 **I'm worried.**

worried 걱정하는, 우려하는

🇨🇳 **我担心。**

wǒdānxīn.

워 딴 씬

🇯🇵 しんぱい
心配だよ。

심파이다요

**SEP
24**

몇 정거장 더 가야 하나요?

🇺🇸 **How many stops are left?**

be left 남다

🇨🇳 **还有几站?**

háiyǒujǐzhàn?

하이 요우 지 짠r

🇯🇵 **後 どれくらいで 着きますか?**
<ruby>後<rt>あと</rt></ruby> <ruby>着<rt>つ</rt></ruby>

아토 도레쿠라이데 츠키마스카

후회해.

🇺🇸 **I'm regretting.**

regret 후회하다

🇨🇳 **我后悔了。**

wǒhòuhuǐle.

워 허우 후에이 러

🇯🇵 こうかい
後悔している。

코 - 카이시테이루

SEP
23

국립 공원 가나요?

Do you stop at the National Park?

stop 멈추다, 서다, National Park 국립 공원

去国立公园吗?

qùguólìgōngyuánma?

취 구어 리 꽁 위엔 마

こくりつこうえん　　　い
国立公園は 行きますか？

코쿠리츠코 – 엥와 이키마스카

APR
12

심심해.

🇺🇸 **I'm bored.**

bored 지루해하는, 따분해하는

🇨🇳 **很无聊了。**

hěnwúliáole.

헌 우 리아오 러

<small>ひ ま</small>
🇯🇵 **暇です。**

히마데스

SEP
22

얼마나 걸릴까요?

🇺🇸 **How long does it take?**

how long 얼마나 (오래)

🇨🇳 **需要多长时间?**

xūyàoduōchángshíjiān?

쉬 야오 뚜어 창r 쉴r 찌엔

🇯🇵 **どれくらい かかりますか?**

도레쿠라이 카카리마스카

APR
13

기대돼요.

🇺🇸 **I can't wait.**

wait 기다리다

🇨🇳 **很期待。**
hěnqīdài.
헌 치 따이

たの
🇯🇵 **楽しみです。**

타노시미데스

SEP
21

표를 어디서 사야 하죠?

Where can I buy a ticket?

buy 사다, ticket 티켓

在哪儿买车票?

zàinǎrmǎichēpiào?

짜이 날r 마이 츠r어 피아오

切符は どこで 買えますか?
きっ ぷ　　　　　　　　 か

킵푸와 도코데 카에마스카

감동 받았어.

🇺🇸 **I'm touched.**

touched 감동한

🇨🇳 **我感动了。**

wǒgǎndòngle.

워 간 똥 러

🇯🇵 かんどう
感動した。

칸도 - 시타

SEP
20

어느 버스가
국립 미술관으로 가나요?

🇺🇸 **Which bus goes to the National Museum of Art?**

the National Museum of Art 국립 미술관

🇨🇳 **哪辆公共汽车去国立美术馆?**

nǎliànggōnggòngqìchēqùguólìměishùguǎn?

나 리앙 공 꽁 치 츠r어 취 구어 리 메이 슈r 구안

🇯🇵 **どのバスが 国立美術館まで 行きますか?**

도노바스가 코쿠리츠비쥬츠캄마데 이키마스카

APR
15

모르겠어요.

🇺🇸 **I'm confused.**

confused 혼란스러워 하는

🇨🇳 **不清楚。**

bùqīngchu.

뿌 칭 츄r

🇯🇵 **分からないです。** | **知らないです。**
わ　　　　　　　　し

와카라나이데스 | 시라나이데스

SEP
19

몇 번 버스를 타야 하나요?

🇺🇸 **Which bus should I take?**

which 어느, take 타다

🇨🇳 **要坐几路车?**

yàozuòjǐlùchē?

야오 쭈어 지 루 츠r어

🇯🇵 **何番バスに 乗れば いいですか？**
(なんばん) (の)

남방바스니 노레바 이 - 데스카

APR
16

제 아버지입니다.

🇺🇸 **This is my father.**

father 아빠, 아버지

🇨🇳 **是我的爸爸。**

shìwǒdebàba.

실r 워 더 빠 바

🇯🇵 **私の 父です。**
わたし　　ちち

와타시노 치치데스

SEP
18

버스 정거장은
어디에 있나요?

🇺🇸 **Where's the bus stop?**

bus stop 버스 정거장

🇨🇳 **公共汽车站在哪儿?**

gōnggòngqìchēzhànzàinǎr?

공 꽁 치 츠r어 짠r 짜이 날r

🇯🇵 **バス停は どこに ありますか？**

바스테 - 와 도코니 아리마스카

제 어머니입니다.

🇺🇸 **This is my mother.**

mother 엄마, 어머니

🇨🇳 **是我的妈妈。**

shìwǒdemāma.

쓸r 워 더 마 마

🇯🇵 **私の 母です。**

와타시노 하하데스

SEP
17

잔돈은 됐어요.

🇺🇸 **Keep the change.**

change 거스름돈, 잔돈

🇨🇳 **零钱不用找了。**

língqiánbúyòngzhǎole.

링 치엔 부 용 자r오 러

🇯🇵 **おつりは 結構です。**
けっこう

오츠리와 켁코 - 데스

제 할아버지입니다.

🇺🇸 **This is my grandfather.**

grandfather 할아버지

🇨🇳 **是我的爷爷。**

shìwǒdeyéye.

쉴r 워 더 예 예

🇯🇵 **私の 祖父です。**

わたし　そ ふ

와타시노 소후데스

요금이 얼마죠?

🇺🇸 **How much is the fare?**

fare 요금

🇨🇳 **费用是多少钱?**

fèiyòngshìduōshaoqián?

f에이 용 실r 뚜어 샤ㅓ오 치엔

^{りょうきん}

🇯🇵 **料金は いくらですか?**

료 - 킹와 이쿠라데스카

APR
19

제 할머니입니다.

This is my grandmother.

grandmother 할머니

是我的奶奶。

shìwǒdenǎinai.

싈r 워 더 나이 나이

私の 祖母です。

와타시노 소보데스

SEP
15

여기서 내려주세요.

🇺🇸 **This is me.**
= Please drop me off here.

🇨🇳 **这里停一下。**
zhèlǐtíngyíxià.
쩌r 리 팅 이 씨아

🇯🇵 **ここで 降ろしてください。**
코코데 오로시테쿠다사이

APR
20

제 남편입니다.

🇺🇸 **This is my husband.**

husband 남편

🇨🇳 **是我的丈夫。**

shìwǒdezhàngfu.

실r 워 더 짱r f우

🇯🇵 **私の 夫です。**

わたし   おっと

와타시노 옷토데스

SEP
14

다 왔습니다.

....

🇺🇸 **We are all here.**

here 여기

🇨🇳 **到了。**
dàole.
따오 러

🇯🇵 **そろそろ着きます。**

소로소로츠키마스

APR
21

제 아내입니다.

🇺🇸 **This is my wife.**

wife 아내

🇨🇳 **我是的妻子。**

shìwǒdeqízi.

쉴r 워 더 치 즈

🇯🇵 **私の 妻です。**

わたし　　つま

와타시노 츠마데스

이 주소로 가주세요.

🇺🇸 **Please take me to this address.**

address 주소

🇨🇳 **请你开往这个地址。**

qǐngnǐkāiwǎngzhègedìzhǐ.

칭 니 카이 왕 쩌r 거 띠 즐r

🇯🇵 **この住所まで 行ってください。**

코노쥬 - 쇼마데 잇테쿠다사이

제 아들입니다.

🇺🇸 **This is my son.**

son 아들

🇨🇳 **是我的儿子。**

shìwǒdeérzi.

쉴r 워 더 얼r 즈

🇯🇵 **私の 息子です。**
わたし　　むす こ

와타시노 무스코데스

SEP
12

택시 좀 불러주세요.

🇺🇸 **Could you call me a taxi?**

call a taxi 택시를 부르다

🇨🇳 **请帮我叫一辆出租车。**

qǐngbàngwǒjiāoyíliàngchūzūchē.

칭 빵 워 찌아오 이 리양 추r 주 츠r어

🇯🇵 **タクシーを 呼んでください。**

타쿠시 - 오 욘데쿠다사이

APR
23

제 딸입니다.

This is my daughter.

daughter 딸

是我的女儿。

shìwǒdenǚér.

쉴r 워 더 뉘 얼r

私の 娘です。

와타시노 무스메데스

SEP
11

어디서 택시를 잡죠?

Where can I get a taxi?

get a taxi 택시를 잡다

在哪里可以乘出租车？

zàinǎlǐkěyǐchéngchūzūchē?

짜이 나 리 크어 이 청r 츄r 주 츠r어

どこで タクシーに 乗れますか？

도코데 타쿠시 - 니 노레마스카

제 오빠/형입니다.

🇺🇸 **This is my brother.**

brother 오빠, 형

🇨🇳 **是我的哥哥。**

shìwǒdegēge.

슬r 워 더 끄어 그어

🇯🇵 **私の 兄です。**

わたし あに

와타시노 아니데스

이게 무슨 요금이죠?

🇺🇸 **What's this charge for?**

charge 요금

🇨🇳 **这是什么费用?**

zhèshìshénmefèiyòng?

쩌r 실r 션r 머 f에이 용

🇯🇵 **これは 何の 料金ですか?**

코레와 난노 료 - 킹데스카

APR 25

제 남동생입니다.

🇺🇸 **This is my younger brother.**

younger brother 남동생

🇨🇳 **是我的弟弟。**

shìwǒdedìdi.

쉴r 워 더 띠 디

🇯🇵 **私の 弟です。**
<ruby>私<rt>わたし</rt></ruby> <ruby>弟<rt>おとうと</rt></ruby>

와타시노 오토 - 토데스

SEP
9

체크인까지
짐 좀 맡아주세요.

🇺🇸 **Please keep my luggage until check-in.**

keep 보관하다, luggage 짐, 수하물

🇨🇳 **入住时间之前请把我的行李保管一下。**

rùzhùshíjiānzhīqiánqǐngbǎwǒdexínglibǎoguǎnyíxià.

루r 쭈r 실r 찌엔 즐r 치엔 칭 바 워 더 싱 리 바오 구안 이 씨아

🇯🇵 **チェックインまで 荷物を 預けられますか？**

쳭쿠잉마데 니모츠오 아즈케라레마스카

APR
26

제 누나/언니입니다.

🇺🇸 **This is my sister.**

sister 언니, 누나

🇨🇳 **是我的姐姐。**

shìwǒdejiějie.

실r 워 더 찌에 지에

🇯🇵 **私の 姉です。**

와타시노 아네데스

바다가 보이는 방으로 주세요.

🇺🇸 **An ocean view room, please.**

ocean 바다, view 전망

🇨🇳 **请给我能看到海边的房间。**

qǐnggěiwǒnéngkàndàohǎibiāndefángjiān.

칭 게이 워 넝 칸 따오 하이 삐엔 더 f앙 찌엔

🇯🇵 **海の 見える 部屋を ください。**

うみ　み　へ　や

우미노 미에루 헤야오 쿠다사이

제 여동생입니다.

🇺🇸 **This is my younger sister.**

younger sister 여동생

🇨🇳 **是我的妹妹。**

shìwǒdemèimei.

쉴r 워 더 메이 메이

🇯🇵 **私の 妹です。**

わたし いもうと

와타시노 이모 - 토데스

SEP
7

고층 룸으로 주세요.

🇺🇸 **A higher floor room, please.**

higher 더 높은, floor 층

🇨🇳 **请给我高层房间。**

qǐnggěiwǒgāocéngfángjiān.

칭 게이 워 까오 청 f앙 찌엔

🇯🇵 こうそうかい　へ や
高層階の部屋を ください。

코 - 소 - 카이노헤야오 쿠다사이

APR
28

제 삼촌입니다.

....

🇺🇸 **This is my uncle.**

uncle 삼촌

🇨🇳 **是我的叔叔。**

shìwǒdeshūshu.

쉴r 워 더 슈 슈r

🇯🇵 **私の 叔父です。**

わたし　　おじ

와타시노 오지데스

SEP
6

더블 룸으로 주세요.

🇺🇸 **I'd like a double room.**

double 두 배의, 갑절의

🇨🇳 **请给我大床间。**

qǐnggěiwǒdàchuángjiān.

칭 게이 워 따 추r앙 찌엔

🇯🇵 **ダブルルームを ください。**

다부루루 - 무오 쿠다사이

APR
29

제 고모/이모입니다.

....

🇺🇸 **This is my aunt.**

aunt 고모, 이모

🇨🇳 **是我的姑姑。** | **是我的阿姨。**

shìwǒdegūgu. | shìwǒdeāyí.

쉴r 워 더 꾸구 | 쉴r 워 더 아 이

🇯🇵 **私の 叔母です。**
わたし　お　ば

와타시노 오바데스

SEP 5

트윈 룸으로 주세요.

🇺🇸 **I'd like a twin bedroom.**

twin 쌍둥이, 한 쌍의

🇨🇳 **请给我双人间。**

qǐnggěiwǒshuāngrénjiān.

칭 게이 워 슈r앙 런r 찌엔

🇯🇵 **ツインルームを ください。**

츠잉루 - 무오 쿠다사이

APR
30

봄입니다.

. . . .

🇺🇸 **It's spring.**

spring 봄

🇨🇳 **是春天。**

shìcūntiān.

실r 춘 티엔

🇯🇵 **春です。**
はる

하루데스

SEP
4

와이파이 되나요?

🇺🇸 **Do you have Wi-Fi?**

= Can I use Wi-Fi?

🇨🇳 **可以用WiFi吗?**

kěyǐyòngWiFima?

크어 이 용 와이 f아이 마

🇯🇵 **ワイファイは 使^{つか}えますか？**

와이화이와 츠카에마스카

MAY
1

여름입니다.

🇺🇸 **It's summer.**

summer 여름

🇨🇳 **是夏天。**

shìxiàtiān.

쓸r 씨아 티엔

🇯🇵 なつ
夏です。

나츠데스

SEP
3

조식 포함인가요?

Does it include breakfast?

include 포함하다, breakfast 조식

包括早餐吗?

bāokuòzǎocānma?

빠오 쿠어 자오 찬 마

ちょうしょく つ
朝食付きですか?

쵸 - 쇼쿠츠키데스카

가을입니다.

🇺🇸 **It's autumn.**

autumn(= fall) 가을

🇨🇳 **是秋天。**

shìqiūtiān.

실r 치우 티엔

🇯🇵 **秋です。**
あき

아키데스

SEP
2

체크아웃하려고요.

🇺🇸 **I would like to check out.**

check out 체크아웃하다

🇨🇳 **我要退房。**

wǒyàotuìfáng.

워 야오 투이 f앙

🇯🇵 **チェックアウトします。**

첵쿠아우토시마스

겨울입니다.

🇺🇸 **It's winter.**

winter 겨울

🇨🇳 **是冬天。**

shìdòngtiān.

쉴r 뚱 티엔

🇯🇵 **冬です。**
ふゆ

후유데스

SEP
1

체크인하려고요.

. . . .

🇺🇸 **I would like to check in.**

check in 체크인하다

🇨🇳 **我想要登记入住。**

wǒxiǎngyàodēngjìrùzhù.

워 시앙 야오 떵 찌 루r 쭈r

🇯🇵 **チェックインします。**

첵쿠잉시마스

MAY
4

오늘 날씨 어때요?

🇺🇸 **What's the weather like today?**

weather 날씨

🇨🇳 **今天天气怎么样？**

jīntiāntiānqìzěnmeyàng?

찐 티엔 티엔 치 전 머 양

🇯🇵 **今日の天気は どうですか？**
きょう　てんき

쿄 - 노텡키와 도 - 데스카

**AUG
31**

체크아웃은 몇 시인가요?

🇺🇸 **What time is check-out?**

check-out 체크아웃

🇨🇳 **退房是几点？**

tuìfángshìjǐdiǎn?

투이 f앙 싈r 지 디엔

🇯🇵 **チェックアウトは 何時ですか？**

체쿠아우토와 난지데스카

따뜻해요.

🇺🇸 **It's warm.**

warm 따뜻한

🇨🇳 **天气暖和。**

tiānqìnuǎnhuo.

티엔 치 누안 후어

あたた
🇯🇵 **暖かいです。**

아타타카이데스

**AUG
30**

체크인은 몇 시인가요?

What time is check-in?

check-in 체크인

入住时间是几点?

rùzhùshíjiānshìjǐdiǎn?

루r 쭈r 실r 찌엔 실r 지 디엔

チェックインは 何時_{なんじ}ですか?

첵쿠잉와 난지데스카

MAY
6

더워요.

🇺🇸 **It's hot.**

hot 더운, 뜨거운

🇨🇳 **天气热。**

tiānqìrè.

티엔 치 르r어

🇯🇵 **暑いです。**
あつ

아츠이데스

일박에 얼마인가요?

How much is it per night?

per night 일박 당

一晚多少钱?

yìwǎnduōshaoqián?

이 완 뚸어 샤r오 치엔

いっぱく
一泊で おいくらですか?

입파쿠데 오이쿠라데스카

MAY
7

선선해요. [시원해요.]

🇺🇸 **It's cool.**

cool 시원한, 선선한

🇨🇳 **天气凉快。**

tiānqìliángkuai.

티엔 리앙 쿠아이

🇯🇵 **涼しいです。**
すず

스즈시 - 데스

AUG 28

주말에 방 예약하려고요.

....

🇺🇸 **I'd like to book a room for this weekend.**

book 예약하다

🇨🇳 **我想预定周末的双人间。**

wǒxiǎngyùdìngzhōumòdeshuāngrénjiān.

워 시앙 위 띵r우 모어 더 슈r앙 런r 찌엔

🇯🇵 **週末に 部屋を 予約する つもりで**
す。
　しゅうまつ　　へ や　　よ やく

슈 - 마츠니 헤야오 요야쿠스루 츠모리데스

쌀쌀해요.

🇺🇸 **It's chilly.**

chilly 쌀쌀한, 추운

🇨🇳 **天气凉飕飕。**

tiānqìliángsōusōu.

티엔 치 리앙 쏘우 쏘우

はだざむ
🇯🇵 **肌寒いです。**

하다자무이데스

AUG
27

수수료는 얼마인가요?

How much is the commission fee?

commission fee 수수료

兑换手续费是多少?

duìhuànshǒuxufèishìduōshao?

뚜이 후안 쇼r우 쉬 f에이 쉴r 뚜어 샤r오

りょうがえ て すうりょう
両替手数料は いくらですか?

료 - 가에테스 - 료 - 와 이쿠라데스카

MAY
9

추워요.

....

🇺🇸 **It's cold.**

cold 차가운, 추운

🇨🇳 **天气冷。**

tiānqìlěng.

티엔 치 렁

🇯🇵 **寒いです。**
さむ

사무이데스

**AUG
26**

환율이 어떻게 되나요?

🇺🇸 **What's the exchange rate?**

exchange rate 환율

🇨🇳 **汇率是多少？**

huìlǜshìduōshao?

후이 뤼 실r 뚜어 샤r오

🇯🇵 **レートは どうですか？**

레 - 토와 도 - 데스카

MAY 10

비가 와요.

🇺🇸 **It's raining.**

rain 비, 비가 오다

🇨🇳 **下雨啦。**

xiàyǔla.

씨아 위 라

🇯🇵 雨_{あめ}が 降_ふっています。

아메가 훗테이마스

AUG 25

모두 100달러로
바꿔주세요.

....

🇺🇸 **I want them all in 100 dollar bills.**

bill 지폐

🇨🇳 **请全部换成100美元的。**

qǐngquánbùhuànchéngyībǎiměiyuánde.

칭 추엔 뿌 환 청r 이 바이 메이 위엔 더

🇯🇵 **全部 100ドルに 替えてください。**
   ぜんぶ　　　　　　　　か

젬부 햐쿠도루니 카에테쿠다사이

눈이 와요.

🇺🇸 **It's snowing.**

snow 눈, 눈이 오다

🇨🇳 **下雪啦。**

xiàxuéla.

씨아 슈에 라

🇯🇵 **雪^{ゆき}が 降^ふっています。**

유키가 훗테이마스

AUG
24

이거 잔돈으로 바꿔주세요.

🇺🇸 **I want to break this.**

break 깨다, 부수다, (잔돈으로) 바꾸다

🇨🇳 **这个要换成零钱。**

zhègeyàohuànchénglíngqián.

쩌r 거 야오 후안 청r 링 치엔

🇯🇵 **これを 崩してください。**
くず

코레오 쿠즈시테쿠다사이

MAY
12

바람이 불어요.

🇺🇸 **It's windy.**

windy 바람부는

🇨🇳 **刮风了。**

guāfēngle.

꾸아 f엉 러

🇯🇵 **風が 吹いています。**

카제가 후이테이마스

AUG 23

이거 달러로
환전하고 싶어요.

· ·

🇺🇸 **I want to change it into dollars.**

change 바꾸다

🇨🇳 **我要把这个换成美元。**

wǒyàobǎzhègehuànchéngměiyuán.

워 야오 바 쩌r 거 후안 청r 메이 위엔

🇯🇵 **これを ドルに 替えたいです。**

코레오 도루니 카에타이데스

MAY 13

흐려요.

 It's cloudy.

cloudy 흐린

阴天了。

yīntiānle.

인 티엔 러

くも
曇っています。

쿠못테이마스

AUG
22

어떻게 환전해 드릴까요?

🇺🇸 **How would you like your money?**

how 어떻게, money 돈

🇨🇳 **你想怎么兑换?**

nǐxiǎngzěmmeduìhuàn?

니 시앙 전 머 뚜이 후안

🇯🇵 **どのように 両替^{りょうがえ}いたしましょうか?**

도노요 - 니 료 - 가에이타시마쇼 - 카

MAY
14

화창해요.

🇺🇸 **It's sunny.**

sunny 화창한

🇨🇳 **天很清凉。**

tiānhěnqīngliáng.

티엔 헌 칭 리앙

は
🔘 **晴れています。**

하레테이마스

AUG 21

환전소는 어디에 있나요?

....

🇺🇸 **Where's the money exchange?**

money exchange 환전소

🇨🇳 **兑换处在哪儿?**

duìhuànchǔzàinǎr?

뚜이 후안 츄r 짜이 날r

りょうがえじょ
🇯🇵 **両替所は どこに ありますか?**

료 – 가에죠와 도코니 아리마스카

MAY 15

오늘은 무슨 요일인가요?

....

🇺🇸 **What day is it today?**

today 오늘

🇨🇳 **今天是星期几？**

jīntiānshìxīngqījǐ?

찐 티엔 싈r 씽 치 지

🇯🇵 **今日は 何曜日ですか？**
<small>きょう</small> <small>なんようび</small>

쿄 - 와 낭요 - 비데스카

저는 사업을 합니다.

🇺🇸 **I run my own business.**

run 운영하다, own ~자신의

🇨🇳 **我做生意。**

wǒzuòshēngyi.

워 쭈어 성r 이

🇯🇵 **私は 事業を 営んでいます。**

わたし　じ ぎょう　いとな

와타시와 지교 - 오 이토난데이마스

MAY
16

오늘은 월요일입니다.

🇺🇸 **It's Monday.**

Monday 월요일

🇨🇳 **今天是星期一。**

jīntiānshìxīngqīyī.

찐 티엔 쉴r 씽 치 이

🇯🇵 **今日は 月曜日です。**
きょう　　げつようび

쿄 - 와 게츠요 - 비데스

AUG 19

저는 회사원입니다.

🇺🇸 **I'm an office worker.**

office 사무실, worker 근로자

🇨🇳 **我是员工。**

wǒshìyuángōng.

워 쉴r 위엔 꽁

🇯🇵 **私は 会社員です。**

와타시와 카이샤잉데스

MAY 17

오늘은 화요일입니다.

🇺🇸 **It's Tuesday.**

Tuesday 화요일

🇨🇳 **今天是星期二。**

jīntiānshìxīngqīèr.

찐 티엔 쉴r 씽 치 얼

🇯🇵 **今日は 火曜日です。**
きょう　　　か よ う び

쿄 - 와 카요 - 비데스

AUG 18

저는 주부입니다.

🇺🇸 **I'm a housewife.**

housewife 주부

🇨🇳 **我是主妇。**

wǒshìzhǔfù.

워 쉴r 쭈r f우

🇯🇵 **私は 主婦です。**

わたし　しゅふ

와타시와 슈후데스

MAY
18

오늘은 수요일입니다.

🇺🇸 **It's Wednesday.**
Wednesday 수요일

🇨🇳 **今天是星期三。**
jīntiānshìxīngqīsān.
찐 티엔 쓸r 씽 치 싼

🇯🇵 **今日は 水曜日です。**
きょう　　すいようび
쿄 - 와 스이요 - 비데스

AUG
17

호텔에 머물 거예요.

I'll stay at the hotel.

hotel 호텔

我在宾馆住。

wǒzàibīnguǎnzhù.

워 짜이 삔 구안 쭈r

ホテルに 泊まります。

호테루니 토마리마스

MAY
19

오늘은 목요일입니다.

 It's Thursday.

Thursday 목요일

今天是星期四。

jīntiānshìxīngqīsì.

찐 티엔 쉴r 씽 치 쓰

今日は 木曜日です。
きょう　　　もくようび

쿄 - 와 모쿠요 - 비데스

**AUG
16**

친척 집에 머물 거예요.

🇺🇸 **I'll stay at my relative's.**

relative 친척

🇨🇳 **我在亲戚的家住。**

wǒzàiqīnqièdejiāzhù.

워 짜이 친 치에 더 찌아 쭈r

🇯🇵 **親戚の家に 泊まります。**

しんせき　いえ　と

신세키노이에니 토마리마스

MAY
20

오늘은 금요일입니다.

🇺🇸 **It's Friday.**

Friday 금요일

🇨🇳 **今天是星期五。**

jīntiānshìxīngqīwǔ.

찐 티엔 쉴r 씽 치 우

🇯🇵 今日は 金曜日です。
きょう　　　きんようび

쿄 - 와 킹요 - 비데스

AUG
15

친구 집에 있을 거예요.

· ·

🇺🇸 **I'll stay at my friend's.**

friend 친구

🇨🇳 **我在朋友的家住。**

wǒzàipéngyoudejiāzhù.

워 짜이 펑 요우 더 찌아 쭈r

🇯🇵 **友達の家に います。**
ともだち　　いえ

토모다치노이에니 이마스

MAY 21

오늘은 토요일입니다.

🇺🇸 **It's Saturday.**

Saturday 토요일

🇨🇳 **今天是星期六。**

jīntiānshìxīngqīliù.

찐 티엔 쓸r 씽 치 리어우

🇯🇵 **今日は 土曜日です。**
きょう　　　 どようび

쿄 - 와 도요 - 비데스

AUG
14

한 달 머물 거예요.

··

🇺🇸 **I'll stay for a month.**

month 월, 달

🇨🇳 **要停留一个月。**

yàotíngliúyígèyuè.

야오 팅 리우 이 거 위에

🇯🇵 **１ヵ月ほど 滞在します。**
いっ か げつ　　　　たいざい

익카게츠호도 타이자이시마스

MAY 22

오늘은 일요일입니다.

🇺🇸 **It's Sunday.**

Sunday 일요일

🇨🇳 **今天是星期日。** | **今天是星期天。**

jīntiānshìxīngqīrì. | jīntiānshìxīngqītiān.

찐 티엔 싈r 씽 치 르r | 찐 티엔 싈r 씽 치 티엔

🇯🇵 **今日は 日曜日です。**
きょう　　にちようび

쿄 - 와 니치요 - 비데스

AUG
13

5일 머물 거예요.

....

🇺🇸 **I'll stay for five days.**

stay 머무르다

🇨🇳 **要停留5天。**

yàotíngliúwǔtiān.

야오 팅 리우 우 티엔

🇯🇵 **5日ほど 滞在します。**

いつか / たいざい

이츠카호도 타이자이시마스

MAY
23

오늘은 며칠인가요?

What date is it today?

date 날짜

今天几月几号？

jīntiānjǐyuèjǐhào?

찐 티엔 지 위에 지 하오

き ょ う　　　なんにち
今日は 何日ですか？

쿄 - 와 난니치데스카

AUG
12

일주일 머물 거예요.

I'll stay for a week.

week 주, 일주일

要停留一周。

yàotíngliúyīzhōu.

야오 팅 리우 이 죠r우

いっしゅうかん たいざい
1週間ほど 滞在します。

잇슈 - 캉호도 타이자이시마스

오늘은 1월 10일입니다.

🇺🇸 **It's January tenth.**

January 1월

🇨🇳 **今天一月十号。**

jīntiānyíyuèshíhào.

찐 티엔 이 위에 쉴r 하오

🇯🇵 **今日は 1月 10日です。**

きょう いちがつ とおか

쿄 - 와 이치가츠 토 - 카데스

AUG
11

가족 보러 왔습니다.

....

🇺🇸 **I'm here to visit my family.**

visit 방문하다, family 가족

🇨🇳 **我来看家人了。**

wǒláikànjiārénle.

워 라이 칸 찌아 런 러

🇯🇵 **家族に 会いに 来ました。**

카조쿠니 아이니 키마시타

MAY
25

오늘은 2월 9일입니다.

🇺🇸 **It's February ninth.**

February 2월

🇨🇳 **今天二月九号。**

jīntiānèryuèjiǔhào.

찐 티엔 얼r 위에 지어우 하오

🇯🇵 **今日は 2月 9日です。**
きょう　　に がつ ここのか

쿄 - 와 니가츠 코코노카데스

공부하러 왔습니다.

🇺🇸 **I'm here to study.**

study 공부하다

🇨🇳 **来这儿学习的。**

láizhèrxuéxíde.

라이 쩔r 슈에 시 더

🇯🇵 **勉強しに 来ました。**

べんきょう　き

벵쿄 - 시니 키마시타

오늘은 3월 8일입니다.

🇺🇸 **It's March eighth.**

March 3월

🇨🇳 **今天三月八号。**

jīntiānsānyuèbāhào.

찐 티엔 싼 위에 빠 하오

🇯🇵 **今日は 3月 8日です。**
きょう　　さんがつ ようか

쿄 - 와 상가츠 요 - 카데스

AUG 9

출장 때문에 왔습니다.

....

🇺🇸 **I'm here for business.**

business 사업, 업무

🇨🇳 **因为出差来的。**

yīnwèichūchāiláide.

인 웨이 츄r 차r이 라이 더

🇯🇵 **出張のために 来ました。**

しゅっちょう / き

슛쵸 - 노타메니 키마시타

MAY 27

오늘은 4월 7일입니다.

🇺🇸 **It's April seventh.**

April 4월

🇨🇳 **今天四月七号。**

jīntiānsìyuèqīhào.

찐 티엔 쓰 위에 치 하오

🇯🇵 **今日は 4月 7日です。**
きょう　　　しがつ　なのか

쿄 - 와 시가츠 나노카데스

AUG
8

여행하러 왔습니다.

🇺🇸 **I'm here for travel.**

travel 여행

🇨🇳 **来这儿旅游的。**

láizhèrlǚyóude.

라이 쩔r 뤼 요우 더

🇯🇵 **旅行に 来ました。**

りょこう き

료코 - 니 키마시타

MAY
28

오늘은 5월 6일입니다.

 It's May sixth.

May 5월

今天五月六号。

jīntiānwǔyuèliùhào.

찐 티엔 우 위에 리어우 하오

今日は 5月 6日です。
きょう　ごがつ　むいか

쿄 - 와 고가츠 무이카데스

AUG
7

일행입니다. (같이 왔어요.)

🇺🇸 **We are together.**

together 같이, 함께

🇨🇳 **我们是一起来的。**

wǒmenshìyìqǐláide.

워 먼 쉴r 이 치 라이 더

🇯🇵 **一緒に 来ました。**

いっしょ / き

잇쇼니 키마시타

MAY
29

오늘은 6월 5일입니다.

🇺🇸 **It's June fifth.**

June 6월

🇨🇳 **今天六月五号。**

jīntiānliùyuèwǔhào.

찐 티엔 리어우 위에 우 하오

🇯🇵 **今日は 6月 5日です。**

きょう ろくがつ いつか

쿄 - 와 로쿠가츠 이츠카데스

AUG
6

펜 좀 빌릴 수 있을까요?

....

🇺🇸 **Can I borrow a pen?**

borrow 빌리다, pen 펜

🇨🇳 **我可以借笔吗?**

wǒkěyǐjièbǐma?

워 크어 이 찌에 비 마

🇯🇵 **ペンを 借りられますか？**

펭오 카리라레마스카

MAY 30

오늘은 7월 4일입니다.

It's July fourth.

July 7월

今天七月四号。

jīntiānqīyuèsìhào.

찐 티엔 치 위에 쓰 하오

今日は 7月 4日です。

きょう　しちがつ　よっか

쿄 - 와 시치가츠 욕카데스

AUG
5

헤드폰 좀 주실래요?

Can I get headphones?

headphones 헤드폰

请给我耳机。

qǐnggěiwǒěrjī.

칭 게이 워 얼r 찌

ヘッドフォンを もらえますか？

헷도훙오 모라에마스카

MAY
31

오늘은 8월 3일입니다.

....

🇺🇸 **It's August third.**

August 8월

🇨🇳 **今天八月三号。**

jīntiānbāyuèsānhào.

찐 티엔 빠 위에 싼 하오

🇯🇵 **今日は 8月 3日です。**
きょう　　はちがつ　みっか

쿄 - 와 하치가츠 믹카데스

AUG
4

식사는 거를게요.

🇺🇸 **I'd like to skip the meal.**

skip 거르다, 건너뛰다, meal 식사

🇨🇳 **不用餐。**

búyòngcān.

부 용 찬

🇯🇵 **食事は 結構です。**
しょく じ　　けっこう

쇼쿠지와 켁코 - 데스

오늘은 9월 2일입니다.

🇺🇸 **It's September second.**

September 9월

🇨🇳 **今天九月二号。**

jīntiānjiǔyuèèrhào.

찐 티엔 지어우 위에 얼r 하오

🇯🇵 **今日は 9月 2日です。**
きょう　　 く がつ ふつか

쿄 - 와 쿠가츠 후츠카데스

AUG 3

자리 좀 바꿀 수 있나요?

🇺🇸 **Can I change my seat?**

change 바꾸다, seat 자리

🇨🇳 **可以换位子吗?**

kěyǐhuànwèizima?

크어 이 후안 웨이 즈 마

🇯🇵 **席を 替えてもらえますか?**
せき　か

세키오 카에테모라에마스카

오늘은 10월 1일입니다.

....

🇺🇸 **It's October first.**

October 10월

🇨🇳 **今天十月一号。**

jīntiānshíyuèyíhào.

찐 티엔 싈 위에 이 하오

🇯🇵 **今日は 10月 1日です。**
きょう　　　じゅうがつ ついたち

쿄 - 와 쥬 - 가츠 츠이타치데스

커피 좀 주세요.

🇺🇸 **Coffee, please.**

coffee 커피

🇨🇳 **请给我咖啡。**

qǐnggěiwǒkāfēi.

칭 게이 워 카 f에이

🇯🇵 **コーヒーを ください。**

코 - 히 - 오 쿠다사이

오늘은 11월 14일입니다.

 It's November fourteenth.

November 11월

🇨🇳 **今天十一月十四号。**

jīntiānshíyīyuèshísìhào.

찐 티엔 쉴r 이 위에 쉴r 쓰 하오

きょう　　じゅういちがつ　じゅうよっか
🇯🇵 **今日は 11月 14日です。**

쿄 - 와 쥬 - 이치가츠 쥬 - 욕카데스

AUG
1

물 좀 주세요.

🇺🇸 **Water, please.**
water 물

🇨🇳 **请给我水。**
qǐnggěiwǒshuǐ.
칭 게이 워 슈r에이

🇯🇵 **お水を ください。**
みず
오미즈오 쿠다사이

오늘은 12월 20일입니다.

It's December twentieth.

December 12월

今天十二月二十号。

jīntiānshíèryuèèrshíhào.

찐 티엔 쉴r 얼r 위에 얼r 쉴r 하오

きょう　　じゅうに　がつ　はつか
今日は 12月 20日です。

쿄 - 와 쥬 - 니가츠 하츠카데스

담요 좀 주세요.

🇺🇸 **A blanket, please.**

blanket 담요

🇨🇳 **请给我毯子。**

qǐnggěiwǒtǎnzi.

칭 게이 워 탄 즈

🇯🇵 **毛布を ください。**

もう ふ

모 - 후오 쿠다사이

JUN
5

지금 몇 시인가요?

What time is it?

time 시간

现在几点?

xiànzàijǐdiǎn?

씨엔 짜이 지 디엔

いま なん じ
今は 何時ですか?

이마와 난지데스카

JUL
30

10번 게이트는 어디 있나요?

 Where is gate ten?

gate 게이트

10号登机口在哪儿?

shíhàodēngjīkǒuzàinǎr?

실r 하오 떵 찌 코우 짜이 날r

じゅうばん
10番ゲートは どこに あります か?

쥬 - 방게 - 토와 도코니 아리마스카

JUN
6

오후 1시입니다.

🇺🇸 **It's one p.m.**

= It's one in the afternoon.

🇨🇳 **现在下午一点。**

xiànzàixiàwǔyīdiǎn.

씨엔 짜이 씨아 우 이 디엔

🇯🇵 **午後 1時です。**
ご ご いち じ

고고 이치지데스

JUL
29

이 줄이
우선 탑승 줄인가요?

....

🇺🇸 **Is this line for priorities?**

priority 우선, 우선권

🇨🇳 **这排是先登机的吗？**

zhèpáishìxiāndēngjīdema?

쩌r 파이 쉴r 씨엔 떵 찌 더 마

🇯🇵 **この列が 優先搭乗列ですか？**

れつ　　　ゆうせんとうじょうれつ

코노레츠가 유 - 셍토 - 죠 - 레츠데스카

JUN
7

오전 7시 반입니다.

🇺🇸 **It's seven thirty in the morning.**
= It's half past seven in the morning.

🇨🇳 **现在上午七点半。**
xiànzàishàngwǔqīdiǎnbàn.
씨엔 짜이 샹r 우 치 디엔 빤

🇯🇵 **午前 7時 半です。**
ご ぜん　し ち じ　はん
고젱 시치지 항데스

JUL
28

추가 요금은 얼마인가요?
(수화물 초과 시)

How much is the additional charge?

additional 추가의, charge 요금

行李超重的费用是多少？

xínglichāozhòngdefèiyòngshìduōshao?

싱 리 차r오 쭝r 더 f에이 용 싈r 뚜어 샤r오

つい か りょうきん
追加料金は いくらですか？

츠이카료 - 킹와 이쿠라데스카

JUN
8

밤 10시입니다.

🇺🇸 **It's ten p.m.**

= It's ten at night.

🇨🇳 **现在晚上十点。**

xiànzàiwǎnshangshídiǎn.

씨엔 짜이 완 샹r 싈r 디엔

🇯🇵 **午後 10時です。**
ご ご　じゅうじ

고고 쥬 - 지데스

JUL
27

대한항공은 어디 있나요?

🇺🇸 **Where's the Korean Airline?**

the Korean Airline 대한항공, the Asiana Airline 아시아나항공

🇨🇳 **大韩航空是在哪儿?**

dàhánhángkōngshìzàinǎr?

따 한 항 콩 쉴r 짜이 날r

だいかんこうくう
🇯🇵 **大韓航空は どこに ありますか?**

다이캉코 - 쿠 - 와 도코니 아리마스카

JUN
9

오전 8시입니다.

....

🇺🇸 **It's eight a.m.**

= It's eight in the morning.

🇨🇳 **现在上午八点。**

xiànzàishàngwǔbādiǎn.

씨엔 짜이 샹r 우 빠 디엔

🇯🇵 **午前 8時です。**
ご ぜん はち じ

고젱 하치지데스

이 가방은 기내용입니다.

🇺🇸 **This is my carry on.**

carry on 기내 휴대 수하물

🇨🇳 **这个包是机内用的。**

zhègebāoshìjīnèiyòngde.

쩌r 거 빠오 쉴r 찌 네이 용 더

🇯🇵 **このカバンは 機内用です。**

코노카방와 키나이요 - 데스

**JUN
10**

12시 정각입니다.

🇺🇸 **It's twelve o'clock sharp.**

= It's noon. (정오) / It's midnight. (자정)

🇨🇳 **12点整。**

shíèrdiǎnzhěng.

쉴r 얼r 디엔 쩡r

🇯🇵 **１２時ちょうどです。**

じゅう に じ

쥬 - 니지쵸 - 도데스

JUL
25

제 수하물입니다.

🇺🇸 **It's my baggage.**

baggage 수하물

🇨🇳 **是我的行李。**

shìwǒdexíngli.

실r 워 더 싱 리

わたし　て　に　もつ
🇯🇵 **私の手荷物です。**

와타시노테니모츠데스

JUN
11

시계가 없습니다.

🇺🇸 **I don't have a watch.**

watch 시계

🇨🇳 **没带标。**

méidàibiǎo.

메이 따이 비아오

🇯🇵 **時計が ないです。**

と けい

토케 - 가 나이데스

JUL
24

여기 제 여권입니다.

🇺🇸 **Here's my passport.**

passport 여권

🇨🇳 **这是我的护照。**

zhèshìwǒdehùzhào.

쩌r 싈r 워 더 후 쟈r오

🇯🇵 **こちらが 私のパスポートです。**

코치라가 와타시노파스포 - 토데스

언제가 좋으세요?

🇺🇸 **When is good for you?**

when 언제

🇨🇳 **你什么时候方便?**

nǐshénmeshíhoufāngbiàn?

니 션r 머 쓸r 허우 f앙 삐엔

🇯🇵 **いつが いいですか?**

이츠가 이이데스카

JUL
23

나중에 다시 얘기합시다.

Let's discuss it later.

discuss 상의하다, 얘기하다

下次再谈吧。

xiàcìzàitánba.

씨아 츠 짜이 탄 바

後で また お話ししましょう。
あと　　　　　はな

아토데 마타 오하나시시마쇼 -

8시에 만납시다.

🇺🇸 **Let's meet at eight.**

meet 만나다, at eight 8시에

🇨🇳 **咱们八点见吧。**

zánmenbādiǎnjiànba.

쟌 먼 빠 디엔 찌엔 바

🇯🇵 **8時に 会いましょう。**
はち じ　　あ

하치지니 아이마쇼 -

JUL
22

계획대로 합시다.

· ·

🇺🇸 **Let's stick to the plan.**

stick to ~ ~에 붙어 있다, plan 계획

🇨🇳 **按计划进行吧。**

ànjìhuàjìngxíngba.

안 찌 후아 찐 싱 바

けいかくどお
🇯🇵 **計画通り しましょう。**

케 - 카쿠도 - 리 시마쇼 -

그날은 안 돼요.

🇺🇸 **I'm not available that day.**

available 시간이 있는

🇨🇳 **那天我不行。**

nàtiānwǒbùxíng.

나 티엔 워 뿌 씽

🇯🇵 **その日は だめです。**
ひ

소노히와 다메데스

JUL
21

생각해 볼게요.

🇺🇸 **I'll think about it.**

think about ~에 대해 생각하다

🇨🇳 **我想一想。**

wǒxiǎngyīxiǎng.

워 시앙 이 시앙

かんが
🇯🇵 **考えてみます。**

캉가에테미마스

JUN
15

금요일은 어떠신가요?

· ·

How about Friday?

how about ~ ~는 어때?

星期五怎么样?

xīngqīwǔzěnmeyàng?

씽 치 우 전 머 양

_{きんよう び}
金曜日は どうですか?

킹요 - 비와 도 - 데스카

JUL
20

상황에 따라 달라요.

🇺🇸 **It depends.**

depend 의지하다, 나름이다

🇨🇳 **根据情况而不同。**

gēnjùqíngkuàngérbùtóng.

껀 쥐 칭 쿠앙 얼r 뿌 통

🇯🇵 **状況に よって 違います。**

じょうきょう / ちが

죠 - 쿄 - 니 욧테 치가이마스

JUN
16

늦지 마세요.

🇺🇸 **Don't be late.**

late 늦은

🇨🇳 **别迟到啦。**

biéchídàola.

비에 츨r 따오 라

🇯🇵 **遅れないでください。**
おく

오쿠레나이데쿠다사이

JUL
19

당신에게 달려 있어요.

🇺🇸 **It's up to you.**

be up to somebody ~가 결정할 일이다

🇨🇳 **取决于你。**

qǔjuéyúnǐ.

취 쥬에 위 니

🇯🇵 **あなた 次第です。**
しだい

아나타 시다이데스

JUN
17

벌써 와 있습니다.

🇺🇸 **I'm already here.**

already 이미, 벌써

🇨🇳 **我已经到了。**

wǒyǐjingdàole.

워 이 징 따오 러

🇯🇵 **もう 来ています。**
き

모 - 키테이마스

그 밖에 또 있나요?

🇺🇸 **Anything else?**

else 또 다른

🇨🇳 **还有别的吗?**

háiyǒubiédema?

하이 요우 비에 더 마

🇯🇵 **その他に 何かありますか？**

소노호카니 나니카아리마스카

JUN
18

천천히 오세요.

....

🇺🇸 **Take your time.**

time 시간

🇨🇳 **慢慢来吧。**

mànmanláiba.

만 만 라이 바

🇯🇵 **ゆっくり 来てください。**

육쿠리 키테쿠다사이

JUL
17

저는 동의합니다.

....

🇺🇸 **I agree.**

= I agree with you.

🇨🇳 **我同意。**

wǒtóngyì.

워 통 이

🇯🇵 **私は 同意します。**

わたし　　どう　い

와타시와 도 - 이시마스

JUN
19

제가 전화 받을게요.

🇺🇸 **I'm picking up the call.**

pick up (전화를) 받다

🇨🇳 **我来接电话吧。**

wǒláijiēdiànhuàba.

워 라이 찌에 띠엔 후아 바

🇯🇵 **私が 電話に 出ます。**

わたし　でん わ　で

와타시가 뎅와니 데마스

JUL
16

제 의견은 다릅니다.

I don't agree.

agree 동의하다

我不同意。

wǒbùtóngyì.

워 뿌 통 이

私の意見は 違います。

와타시노이켕와 치가이마스

JUN
20

이따가 전화 걸게요.

I'll call you back later.

call back 다시 전화하다

我以后再给你打个电话吧。

wǒyǐhòuzàigěinǐdǎgediànhuàba.

워 이 허우 짜이 게이 니 다 거 띠엔 후아 바

後で 掛け直します。

아토데 카케나오시마스

JUL
15

최선이라고 생각합니다.

I think this is the best way.

best 최고의, way 방법

我认为是最好的。

wǒrènwéishìzuìhǎode.

워 런r 웨이 실r 쭈이 하오 더

最善だと 思います。
さいぜん　　　　おも

사이젱다토 오모이마스

JUN
21

Mr. Kim과
통화할 수 있을까요?

🇺🇸 **Can I speak to Mr. Kim?**

speak to ~ ~와 통화하다

🇨🇳 **金先生可以接电话吗?**

jīnxiānshengkěyǐjiēdiànhuàma?

찐 씨엔 셩r 크어 이 찌에 띠엔 후아 마

🇯🇵 **キムさんと お電話できますか？**

키무상토 오뎅와데키마스카

JUL
14

뭐가 다르죠?

....

🇺🇸 **What's the difference?**

difference 차이

🇨🇳 **有什么区别?**

yǒushénmeqūbié?

요우 션r 머 취 비에

🇯🇵 **何_{なに}が 違_{ちが}いますか？**

나니가 치가이마스카

JUN
22

누구신가요?

Who's speaking?

= Who's that?

你是哪位?

nǐshìnǎwèi?

니 쉴r 나 웨이

どちら様ですか？
<ruby>様<rt>さま</rt></ruby>

도치라사마데스카

JUL
13

좋은 생각이네요.

🇺🇸 **That's a good idea.**

idea 아이디어, 생각

🇨🇳 **好主意。**

hǎozhùyì.

하오 쭈 이

🇯🇵 **良い考えですね。**

い　かんが

이 - 캉가에데스네

잠시만요. (바꿔 드릴게요.)

Hold on, please.

= Hang on, please.

请稍等，帮您转接电话。

qǐngshāoděng,bāngnínzhuǎnjiēdiànhuà.

칭 샤오 덩 빵 닌 주r안 찌에 띠엔 후아

しょうしょう ま

少々お待ちください。(お繋ぎしま

つな

す。)

쇼 - 쇼 - 오마치쿠다사이 (오츠나기시마스)

JUL
12

정말인가요?

Is that true?

true 사실인, 맞는

真的吗?

zhēndema?

쩐r 더 마

ほんとう
本当ですか？

혼토 - 데스카

JUN
24

지금 부재중이십니다.

🇺🇸 **He's out of the office now.**

out of ~ ~의 밖으로, office 사무실

🇨🇳 **他现在不在。**

tāxiànzàibúzài.

타 씨엔 짜이 부 짜이

🇯🇵 **只今、席を 外しております。**
　　ただいま　　せき　　はず

타다이마, 세키오 하즈시테오리마스

JUL
11

이유가 뭔가요?

🇺🇸 **What's the reason?**

reason 이유

🇨🇳 **什么原因?**

shénmeyuányīn?

션r 머 위엔 인

🇯🇵 **その理由は 何ですか？**

りゆう なん

소노 리유 - 와 난데스카

지금 통화중이십니다.

🇺🇸 **He's taking another call.**

= He's on the phone.

🇨🇳 **他正在通话中。**

tāzhèngzàitōnghuàzhōng.

타 쩡r 짜이 통 후아 쫑r

🇯🇵 **只今、他の電話に 出ております。**

타다이마, 호카노뎅와니 데테오리마스

JUL
10

시작합시다.

🇺🇸 **Let's get started.**

start 시작하다

🇨🇳 **现在开始吧。**

xiànzàikāishǐba.

씨엔 짜이 카이 싈r 바

はじ
🇯🇵 **始めましょう。**

하지메마쇼 –

지금 회의중이십니다.

🇺🇸 **He's in a meeting.**

meeting 회의

🇨🇳 **他正在参加会议。**

tāzhèngzàicānjiāhuìyì.

타 쩡r 짜이 찬 찌아 후에이 이

🇯🇵 **只今、会議中で ございます。**

ただいま　かいぎちゅう

타다이마, 카이기쮸 - 데 고자이마스

오늘 야근이에요.

🇺🇸 **I have to work overtime today.**

work 일하다, overtime 초과근무, 야근

🇨🇳 **今天我加班。**

jīntiānwǒjiābān.

진 티엔 워 찌아 빤

🇯🇵 **今日、残業ですよ。**
きょう　ざんぎょう

쿄 - , 장교 - 데스요

JUN
27

지금 휴가중이십니다.

. . . .

🇺🇸 **He's on holiday.**

holiday 휴가, 방학

🇨🇳 **他正在放假。**

tāzhèngzàifàngjiā.

타 쩡r 짜이 f앙 찌아

🇯🇵 **只今、休暇中で ございます。**

ただいま　きゅう か ちゅう

타다이마, 큐 - 카츄 - 데 고자이마스

JUL
8

보고 바랍니다.

🇺🇸 **Can you brief me about it?**

brief ~ ~에게 알려주다, 보고하다

🇨🇳 **请您报告一下。**

qǐngnínbàogàoyíxià.

칭 닌 빠오 까오 이 씨아

🇯🇵 **報告を お願いします。**
ほうこく　　　　ねが

호 - 코쿠오 오네가이시마스

JUN
28

메모 남겨 드릴까요?

Can I take a message?

message 메시지, 메모

需要留言吗?

xūyàoliúyánma?

쉬 야오 리어우 옌 마

伝言を お預かり しましょうか?

でんごん　あず

뎅공오 오아즈카리 시마쇼 - 카

JUL
7

이 양식 작성해 주세요.

🇺🇸 **Please fill out this form.**

fill out (양식을/서식을) 작성하다

🇨🇳 **请填写这张表。**

qǐngtiánxiězhèzhǎngbiǎo.

칭 티엔 씨에 쩌r 장r 비아오

🇯🇵 **この様式で 作成してください。**

よ う し き　　　　さ く せ い

코노요 - 시키데 사쿠세 - 시테쿠다사이

JUN 29

이따 다시 전화 주실래요?

Would you call again later?

call 전화하다, again 다시, later 나중에

您下次在打电话可以吗？

nínxiàcìzàidǎdiànhuàkěyǐma?

닌 씨아 츠 짜이 다 거 띠엔 후아 커어 이 마

後で また 掛け直して いただけますか？

あと か なお

아토데 마타 카케나오시테 이타다케마스카

JUL
6

이메일 확인해 볼게요.

....

🇺🇸 **I'll check the email.**

check 확인하다, 체크하다

🇨🇳 **我确认一下邮件。**

wǒquèrènyíxiàyóujiàn.

워 추에 런r 이 씨아 요우 찌엔

🇯🇵 **メールを 確認(かくにん)してみます。**

메 - 루오 카쿠닝시테미마스

JUN
30

배터리가 없어요.

🇺🇸 **I have no batteries.**

battery 배터리

🇨🇳 **手机没电了。**

shǒujīméidiànle.

쇼r우 찌 메이 띠엔 러

🇯🇵 **電池が もう 切れそうです。**
でんち　　　　　き

덴치가 모 - 키레소 - 데스

JUL
5

이메일로 보내주세요.

🇺🇸 **Please email this.**

email 이메일, 이메일을 보내다

🇨🇳 **发邮件吧。**

fāyóujiànba.

f아 요우 찌엔 바

🔘 **メールで 送^{おく}ってください。**

메 - 루데 오쿳테쿠다사이

문자 주세요.

🇺🇸 **Please text me.**

text 문자하다

🇨🇳 **发给我短信。**

fāgěiwǒduǎnxìn.

f아 게이 워 두안 씬

🇯🇵 **メールください。**

메 - 루쿠다사이

JUL
4

팩스로 보내주세요.

🇺🇸 **Please fax it.**

fax 팩스, 팩스를 보내다

🇨🇳 **请用传真发给我吧。**

qǐngyòngchuánzhēnfāgěiwǒba.

칭 용 추안 쩐r f아 게이 워 바

🇯🇵 **ファックスで 送ってください。**

확쿠스데 오쿳테쿠다사이

JUL
2

지금 통화 가능하세요?

Can you talk right now?

talk 말하다, 이야기하다, right now 지금

现在可以通话吗?

xiànzàikěyǐtōnghuàma?

씨엔 짜이 크어 이 통 후아 마

いま　はな
今 お話しできますか？

이마 오하나시데키마스카

JUL
3

이것 좀 복사해 주세요.

 Please make a copy of this.

make a copy (한 부) 복사하다

🇨🇳 **请你复印这个。**

qǐngnǐfùyìnzhège.

칭 니 f우 인 쩌r 거

🇯🇵 **これを コピーしてください。**

코레오 코피 - 시테쿠다사이